U0788995

光緒庚寅秋
九月杭州許
氏榆園校刊

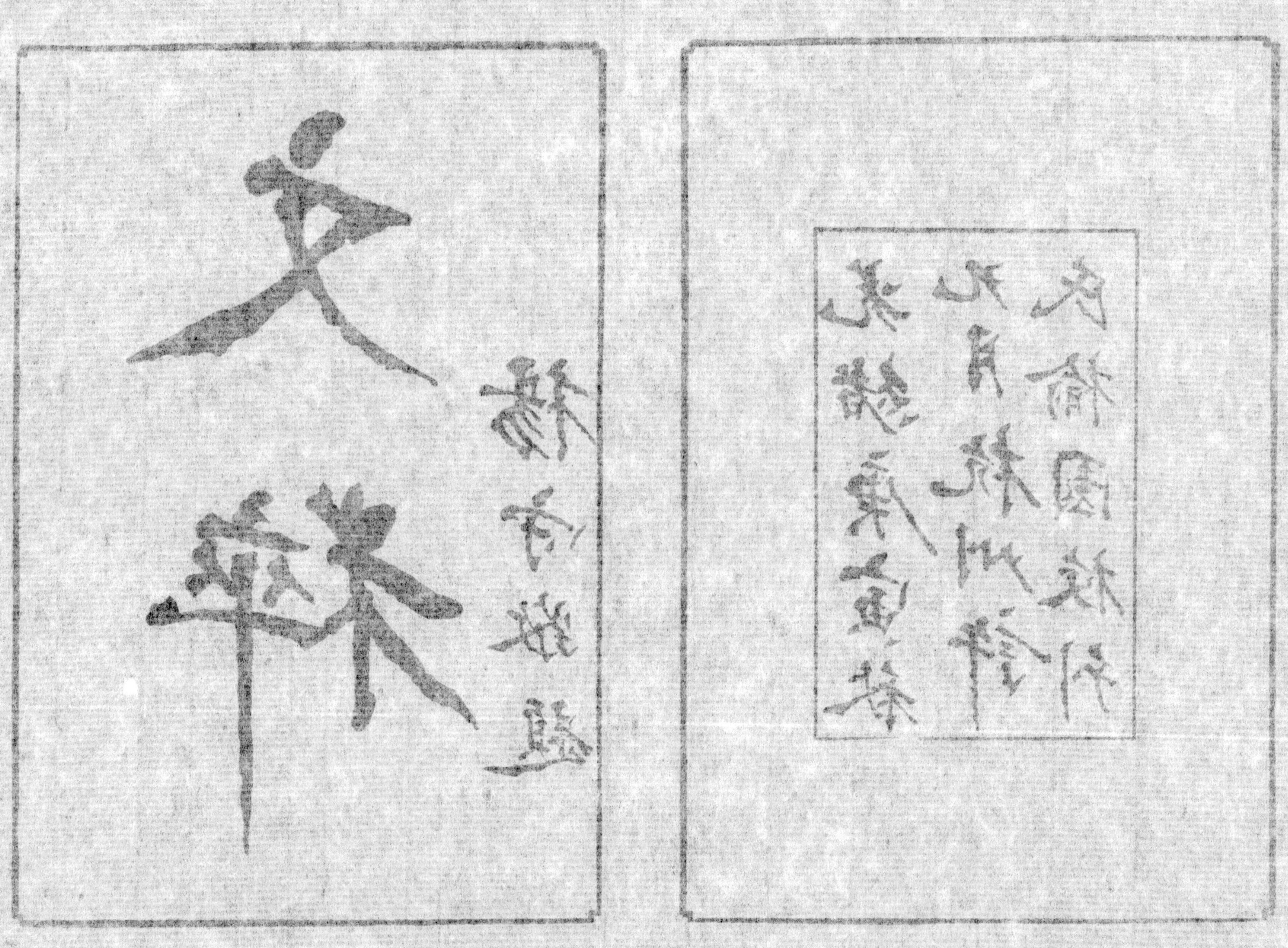
文林
楊守敬題

文粹補遺卷第十三

吳江　郭麐[illegible]

誌銘一　總六首

故開府儀同三司行尚書左丞相燕國公贈太師張公墓誌銘　張九齡
率府錄事孫君墓誌銘　陳子昂
宋州司馬先府君墓誌銘　孫逖
浪跡先生元眞子張志和碑銘　顏眞卿
唐故容州都督兼御史中丞本管經略使元君表墓碑銘
劍南節度判官崔君墓誌銘　常袞

率府錄事孫君墓誌銘　并序　陳子昂

嗚呼君諱虔禮字過庭有唐之不遇人也幼尚孝悌不及學文長而聞道不及從事得祿値凶孼之災四十見君遭讒慝之議忠信實顯而代不能明仁義實勤而物莫之貴陻厄貧病契闊艮時養

心恬然不染物累獨考性命之理庶幾天人之際將期老而有述死且不朽寵榮之事於我何有哉志竟不遂遇暴疾卒於洛陽植業里之客舍時年若干嗚呼天道豈欺也哉而已知卒不與其遂能無慟乎銘曰

嗟嗟孫生人見爾跡不知爾靈天竟不遂子願兮今用無成嗚呼蒼天吾欲訴夫幽明

故開府儀同三司行尚書左丞相燕國公贈太師張公墓誌銘　并序　張九齡

大唐有天下一百十三年開元十有八載龍集庚午冬十二月戊申開府儀同三司行尚書左丞相燕國公薨于位享年六十四嗚呼哀哉皇帝悼焉素服舉哀廢朝三日乃下制贈太師盍師傅之舊恩禮有加也詔葬先遠喪事有日又特賜御詞表章琬琰公義有忘身之勇忠爲社稷之衛文武可憲之政公侯作扞之勳皆已昭昭於天文雖與日月爭光可矣公諱說字道濟范陽方城人晉

司空壯武公之裔孫周通道館學士諱弋府君之曾孫慶州都督
諱恪府君之孫贈丹州刺史刑部尚書諱隲府君之季子自上世
積慶及公而祥發神明所府道德爲樞生以寬濟幼而休祥鷹揚
虎視英偉磊落越在諸生之中已有絕雲霓之望矣初天后稱制
舉郡國賢良公時大知名拔乎其萃者也起家太子校書迄於左
丞相官政四十有一而人臣之位極矣尙書國之理本公悉更之
中書朝之樞密公亟掌之休聲與偕升降數四守正而見逐者一
遇坎而左遷者二其餘總戎于外爲國作藩所平除者惟幽并秉
節鉞而已至若三登左右丞相三作中書令唐興以來朝佐莫比
茲聖賢之運有會師臣之道欲行人雖求多我每餘地馨香之發
敷聞自久宜其翊戴聖后師範百寮功烈過於如神德聲出於咸
一此固與版築崛起屠釣作合之類亦云異也公志元遠而性高
亮未嘗自異會節乃有立何所不可體道以爲宗旣定國於一言
亦保身於大雅其於經理代務雜以軍國決事如流應物如響紛

綸輻輳其猶指掌及夫先聖微旨稽古未傳闕文必補墜禮咸甄
與經籍爲筌蹄於朝廷爲粉澤固不可詳而載也始公之從事實
以懿文而風雅陵夷已數百年矣時多吏議擯落文人庸引雕蟲
沮我勝氣郎明有恥子雲不爲乃未知宗匠所作王霸盡在及公
大用激昂後來天將以公爲木鐸矣斯文豈喪而今也則亡嗚呼
克生以輔時而臣道不究致用以利物而人將安仰上撫牀以念
往下輟相而哀至復見之於公爲太常議行謚曰文貞二十年秋
八月甲申遷窆於萬安山之陽燕國夫人元氏祔焉夫人故尙書
右司員外郎武陵公贈幽州都督諱懷景之女也動爲柔範皆可
師訓及公之貴連姻帝室雖處榮盛若非在己內執謙下外睦親
疏古之賢明未始兼有開元十九年三月壬戌薨於東都康俗里
第享年六十四長子均中書舍人次曰垍駙馬都尉衛尉卿季曰
椒符寶郎泣血在疚皆我之有後也嗚呼元堂永閟何事春秋幽
篆斯在亦云不朽而已銘曰

天有密命滋液百寶時無大賢誰與明道我公允叶我德孔昭翰飛戾天羽儀清朝功遂身謝名由實美言而有立古無不死南山之下詔葬於兹後之與歸惟我太師

宋州司馬先府君墓誌銘并序

孫逖

府君諱嘉之字某魏郡武水人也故厲安樂益齊大夫書之後至晉長秋卿道恭有子曰顗避地河朔後世居焉顗五世孫魏光祿大夫惠蔚爲本朝大儒自時厥後不隕其業公卽光祿元孫也曾祖孝敏隋大業中并州晉陽縣令所居之聚聊設衡關至稱爲晉陽里祖仲將皇朝鄆州壽張縣丞父希莊皇朝韓王府典籤自晉陽至府君四世而傳一子故五服之內無近屬焉府君四歲而孤無所怙恃外祖劉士傑因官居於潞之涉縣府君自幼及長外族焉依克自激昂允迪前烈弱冠以文章著稱因此遊太原涉西河以觀陶唐之風河汾之閒有盛名矣垂拱載初之際始詣洛陽獻書闕下極論時政言多抵忤所如不合遂投迹太學託名常調天

册中以進士擢第與崔日用蘇晉俱爲考功郎中李迥秀特所標賞久視初預拔萃與邵炅齊澣同昇甲科解褐蜀州新津縣主簿又補河南府緱氏縣尉改王屋縣主簿府君少好攝生之術自王屋受訣於司馬先生便欲罷官學道而官微祿薄日衰門無儲宗黨孤眇無所仰給繇是願效六百石長吏焉歷洺州曲周宋州襄邑二縣令秩滿之後遂絕迹人世屛居園林怡神太和以適初願居數歲適長子逖拜中書舍人實掌絲綸皇上以府君有義方之訓特授朝散大夫宋州司馬仍聽致仕手詔褒美親族榮之享年八十三以開元二十七年四月二十四日棄背於東都集賢里之私第府君性聰明而志高邈學該百氏而不爲章句文窮三變而尤工氣質早有大名晚從卑位於是知命之不偶道之不行隨時委運澹然無營而疇昔輩列平生雅故當軸處中者多矣蓋未嘗跬足而近之恬於勢利乃如此也然所莅之職必悉心爲政不以小而易之人到於今遺愛矣爾其閨門之敎子孫之謀猷之必遠

誨則無倦萬石不假於詔讓太邱惟聞於訾誘保乂於後無慚古人夫人廣平宋氏蒲州安邑縣介斌之孫滑州司士參軍郁之女淑德賢行深慈至柔有子四人皆著名於詞學有女六人俱涉迹於圖史非獨府君之善訓亦有夫人之內則焉享年六十以開元十年十一月二十三日先棄背於河陽別業遯遹遘迫等遭天不憖遺降此鞠凶創鉅以深荼蓼又集永惟宅兆未立精靈未安猶力尫瘵尙存餘喘卽以府君違世之年八月十二日遷厝於邙山陶村之西原合祔焉禮也北據岡阜南瞻城闕一以託州原之勝勢一以近庭闈之故居諸孤等亦願朝奠几筵暮埽松柏往來密邇以寘哀懷伏惟尊靈安此眞宅小子痛極豈復能文泣血書事言多失緒其辭曰

惟先府君不隕厥問克惟厥訓惟先夫人慈範是經柔德是程昊天罔極曷其報德敢述舊聞言豈爲飾

浪跡先生元眞子張志和碑銘并序　顔眞卿

士有牢籠太虛㩻掖元造擺元氣而詞鋒首出軋無間而理窟肌分者其惟元眞子乎元眞子姓張氏本名龜齡東陽金華人父遊朝清眞好道著南華象罔說十卷又著沖虛白馬非馬證八卷代莫知之母留氏夢楓生腹上因而誕焉年十六遊太學以明經擢第獻策肅宗深蒙賞重令翰林待詔授左金吾衞錄事參軍仍改名志和字子同尋復貶南浦尉經量移不願之任得還本貫旣而親喪無復宦情遂扁舟垂綸浮三江泛五湖自謂煙波釣徒著十二卷凡三萬言號元眞子遂以稱焉客或以其文論道縱横謂之造化鼓吹京兆韋詣爲作內解元眞又述太易十五卷凡二百六十有五卦以有無爲宗觀者以爲碧虛金骨兄浦陽尉鶴齡亦有文學恐元眞浪跡不還乃於會稽東郭買地結茅齋以居之閉竹門十年不出吏人嘗呼爲掏河夫執畚就役曾無忤色又欲以大布爲褐裘服徐氏聞之手爲織纊一製十年方暑不解所居草堂椽柱皮節皆存而無斤斧之跡文士效柏梁體作歌者十餘人浙

江東觀察使御史大夫陳公少游聞而謁之坐必終日因表其所居曰元眞坊又以門巷湫隘出錢買地以立閈閎旌曰迴軒巷仍命評事劉太眞爲敘因賦柏梁之什文士詩以美之者十五人既門隔流水十年無橋陳公遂爲剏造行者謂之大夫橋遂作告大夫橋文以謝之常以豹皮爲屐椶皮爲屩隱素木几酌斑螺杯鳴榔杖拏隨意取適垂釣去餌不在得魚肅宗嘗賜奴婢各一元眞配爲夫婦名夫曰漁僮妻曰樵青人問其故曰漁僮使捧釣收綸蘆中鼓枻樵青使蘇蘭薪桂竹裏煎茶竟陵子陸羽校書郎裴修嘗詣問有何人往來答曰太虚作室而共居夜月爲鐙以同照與四海諸公未嘗離別有何往來性好畫山水皆因酒酣乘興擊鼓吹笛或閉目或背面舞筆飛墨應節而成大厤九年秋八月訊眞卿於湖州前御史李崿以縑帳請焉俄揮灑横拂而纖纊霏拂亂槍而攢豪雷馳須臾之閒千變萬化蓬壺髣髴而隱見天水微茫而昭合觀者如堵轟然愕眙在坐六十餘人元眞命各言爵里紀

年名字第行於其下作兩句題目命酒以蕉葉書之援翰立成潛皆屬對舉席駭歎竟陵子因命畫工圖而次焉眞卿以舴艋既敝請命更之答曰儻惠漁舟願以爲浮家泛宅沿泝江湖之上往來苕霅之閒野夫之幸矣其詼諧辨捷皆此類也然立性孤峻不可得而親疏率誠澹然人莫窺其喜愠視軒裳如草芥屏嗜欲若泥沙希跡乎大丈夫同符乎古作者莫可測也忽焉去我思德茲深曷以寘懷寄諸他山之石銘曰

邈元眞超隱淪齊得喪甘賤貧泛湖海同光塵宅漁舟垂釣綸輔明主斯若人豈煙波終此身

唐故容州都督兼御史中丞本管經略使元君表墓碑銘并序

嗚呼可惜哉元君君諱結字次山皇家忠烈義激文武之直清臣也蓋後魏昭成皇帝孫曰常山王遵之十二代孫自遵七葉王公相繼著在惇史高祖善禕皇朝尚書都官郎中常山郡公曾祖仁

基朝散大夫襄信令襲常山公祖利貞霍王府參軍隨鎮改襄州父延祖清淨恬儉歷魏成主簿延唐丞思閑輒自引去以魯縣商虞山多靈藥遂家焉及終門人謚曰太先生寶應元年追贈左贊善大夫君聰悟宏達倜儻而不羈十七始知書乃授學於宗兄先生德秀常著說是賦三篇中行子蘇源明駭之曰子居今而作眞淯之語難哉然世自澆浮何傷元子天寶十二載舉進士作文編禮部侍郎陽浚曰一第汙元子耳有司得元子是賴遂登高第及羯胡首亂逃難於猗玗洞因招集鄰里二百餘家奔襄陽元宗異而徵之值君移居瀼溪乃寢乾元二年李光弼拒史思明於河陽肅宗欲幸河東聞君有謀略虛懷召問君悉陳兵勢獻時議三篇上大悅曰卿果破賊朕憂遂停乃拜君左金吾兵曹攝監察御史充山南東道節度參謀仍於唐鄧汝蔡等州招緝義軍山棚高晃等率五千餘人一時歸附大壓賊境於是思明挫銳不敢南侵前是泌南戰士積骨者君悉收瘞刻石立表命之曰哀邱將吏感焉

無不勇厲璽書頻降威望日崇時張瑾殺史翽於襄州遣使請罪君爲奏聞特蒙嘉納乃眞拜君監察仍授部將張遠帆田瀛等十數人將軍屬荆南有專殺者呂諲爲節度使諲辭以無兵上曰元結有兵在泌陽乃拜君水部員外郎兼殿中侍御史充諲節度判官君起家十月超拜至此時論榮之屬道士申泰芝誣湖南防禦使龐承鼎謀反並判官吳子宜等皆被決殺推官嚴郢坐流俾君按覆君建明承鼎獲免者百餘家及諲卒淮西節度使王仲鼎爲賊所擒裴茙與來瑱交惡遠近危懼莫敢誰何君知節度觀察使事經八月境內晏然今上登極節度使留後者例加封邑君遜讓不受遂歸養親特蒙褒獎乃拜著作郎遂家於武昌之樊口著自釋以見意其略曰少習靜於商餘山著元子十卷兵起逃難於猗玗洞著猗玗子三篇將家瀼濱乃自稱浪士著浪說七篇及爲郎時人以浪者亦漫爲官乎遂見呼爲漫郎著漫記七篇及家樊上漁者戲謂之聱叟闕八字又以君漫浪於人間或謂之漫叟歲餘上

以君居貧起家爲道州刺史州爲西原賊所陷人十無一戶纔滿千君下車行古人之政二年間歸者萬餘家賊亦懷畏不敢來犯旣受代百姓詣闕請立生祠仍乞再留觀察使奏課第一轉容府都督兼侍御史本管經略使仍請禮部侍郎張謂作甘棠頌以美之容府自艱虞以來所管皆固拒山谷君單車入洞親自撫諭六旬而收復八州丁陳郡太夫人憂百姓詣使請留大麻四年夏四月拜左金吾衛將軍兼御史中丞管使如故君矢死陳乞者再三優詔襃許七年正月朝京師上深禮重方加位秩不幸遇疾中使臨問者相望夏四月庚午薨於永崇坊之旅館春秋五十朝野震悼焉二子以方以明能世其業名雖著而官未立以其年冬十一月壬寅虔葬君於魯山青嶺泉陂原禮也嗚呼君其心古其行古其言古躬是三者而見重於今雖擁旄麾幢總戎於五嶺之下彌綸秉憲對越於九重之上不爲不遇然以君之才之德之美竟不得專政方面登翼泰階而感激者不能不爲之太息也君雅好山

水聞有勝絕未嘗不枉路登覽而銘贊之感中行見知之恩及亡至今分宅以恤其子其不偷也多此類中書舍人楊炎常袞皆作碑誌以抒君之志業故吏大足令劉袞江華令瞿令問故將張滿趙溫張協王進興等感念恩舊皆送哭以終葬竭資礱石願垂美以述誠眞卿不敏常忝次山風義之末尙存盡往敢廢無媿之辭

銘曰

次山斌斌王之藎臣義烈剛勁忠和儉勤炳文華國孔武甯屯率性方直秉心眞純見危不撓臨難遺身允矣全德今之古人奈何清賢素志莫伸羣士立表垂聲不泯

劒南節度判官崔君墓誌銘 并序　常袞

故人清河崔汪字巨源舉秀才校文尋佐戎衛遷廷尉評辟荆襄益三府春秋若干大麻四年月日遇疾終於成都官舍以己酉歲律中南呂庚辰之辰返葬於棲鳳原寵從也惟先德世勳焯敘前志祖仁堅父綱位不配才佐郡貳邑而已公志經炳文義精格峻

敦孝本義篤近周親定交後來忠告善道達則兼濟否則艱貞天寶之難覯萌晦跡族行導漾儉德全身陶融太和不嬰物累而辟書狎至傳駟旁午不暇棲伏俛而受命竟友於諸侯咨以書奏籌畫之事抗詞中病動不求合老將嘆喟大豪雄張正色檢御革心畏憚從容儒服以靜邊荒夷險始終坦然一致初郭英乂鎮蜀政暴及禍公以嘗所辟用雖言之不行終全節守義遂與妻子居嚴石之下不復歛袂於是府矣及相國衛公式是南邦旌禮賢士待以坐幄咨訪戎政議者謂翰飛紫霄邈其遠矣志士方展國華中零哀哉蓋君子恥食浮於人不患無位故曰孔門不稱其官閥穎州尚㦒於卿長公始以文顯中以道勝終以義全斯亦成名矣何必乘軒服冕方謂之達歟然以有王霸之略通質文之變不得與公卿大夫高議明庭鬱湮重泉知者悼惜旅櫬南下浮江阻寇夫人河東薛氏故水部郎中據之女也之死明誓崩戚感動潛舟夜風反柩湍險神明所護川后息波出於萬死之中克此九原之葬

可謂貞烈孝婦軌儀壼教嗣子師周十一歲而孤危身過毀以余先君之舊見託銘述詞曰

元和內融懿鑠孔純學滔泉源文鬱春雲儉德處難超然世氛郎戎雅歌偃息中軍參以天時合於兵機道行則安言發則危終保風節蜀人高之英靈沈埋旅櫬流離哀哀孝婦上訴蒼昊全柩巴江歸魂蜀道田橫舊曲季布餘輙一閉泉扃千秋蔓草

文粹補遺卷弟十三

文粹補遺卷弟十四

吳江　郭麐　纂

誌銘二　總五首

河南少尹裴公墓誌銘　穆員

朝散大夫使持節饒州諸軍事守饒州刺史上柱國崔君墓誌銘　權德輿

右補闕翰林學士梁君墓誌銘　崔元翰

故襄陽丞趙君墓誌銘　柳宗元

唐故朝議郎行鄂州司倉參軍楊公墓誌銘　歐陽詹

河南少尹裴公墓誌銘　并序

穆員

唐貞元八年冬十月二十有八日前河南少尹裴公諱濟字莊時春秋五十卒於京師靖安里之旅舍明年夏四月朔葬於絳州聞喜縣之故原從先公居禮也高祖懷節皇朝洛州刺史生太府少卿昭昭生蔡州刺史剛剛生扶風郡雍縣令據公則雍縣府君之

長子也生而穎秀長而博辯質如瓊枝文如春林尤長記誦之學酷重許與之契耳目一歷輒在心口意氣相合坐遺形骸天寶末學優藝全方登俊造之貢俄屬國難家疾崎嶇險難以喪往事居之孝稱於所至服闋襄陽節度使來瑱表襄州參軍事屬有勢勝而理負與人爭官者州府畏之公時攝功曹掾守文與直不爲之撓瑱嘉其所執升之賓介有疑焉輒以咨之他日瑱自相位獲譴已而伏誅凡百門吏逃難解散公與陳郡殷亮始冒危於保衛終毁家於葬喪君子難之故司徒李公勉聆公之節辟以爲屬自江西入尹京兆洎節制廣滑汴三府以公明可折獄利可撥繁權可贍給清可澄察而武可臨戎官歷金吾掾萬年尉三御史二尚書郎以至於御史中丞職吏推官洎度支觀察二判官以至於行軍司馬公之奉李公也若體從心李公之任公也若素受采李公制用公爲利器李公翱翔公爲羽翼厥後李公罷鎮遷河南少尹故孜孜勵精貳前後之政與我同志者必以吳公李膺之名歸之其

有所執賴於周人者非一貞元五年受代來朝上京燕息衡門詠歌卒歲以俟道長未如命何初公之在滑也方屬兩河之驚不敢以非疾之憂貽於高堂堅請退閒亦旣終養其在汴也有二千石結根貴幸怙寵傲慢收小惠於下隳大計於上公數其不供之咎請以去之言而未行拂衣自免未幾彼果顛覆李公於是厚禮還公且有中軍中憲之授蓋進退終始不違於道多此類也母弟澄檢校膳部郎中潤大理司直涇前潁州刺史少失先府君之教入學入仕爲郎爲邦皆公之訓誘也夫人隴西縣君李氏故太子賓客翼之子有淑媛之美成公之家事公姑之孝聞焉事叔公之友聞焉其輔佐之力由中及外者出處聞焉今也鬒首泣血自薙及絳一號千里行者悲之子曰鋌弱而有立毀過成人謂員平生交親見託爲誌其文曰

猗歟裴公昭朗直清哭來發跡和李騰聲處則全養出能保貞蒸蒸穆穆爲子爲孫天閼遐志權齎壯齡哀哉哲婦爲代之程

朝散大夫使持節饒州諸軍事守饒州刺史上柱國崔君墓誌銘 并序

權德輿

博陵崔氏爲山東右族以政事方直稱者曰饒州刺史諱適字某貞元十四年某月甲子寢疾終於所部之廨舍春秋若干君仁厚信實方嚴清厲詞無枝葉而顧言必踐交不謟瀆而與人必誠深於士行精於吏職蓋其天性然也一命爲懷州參軍累遷至大理評事司直監察御史好畤武功二縣令常絳二州司馬乃理富平遂佐興元貞元十一年春以西諸侯之師轉粟調食特拜倉部郎中兼御史中丞以董其事其年冬徵拜衛尉少卿明年改鄧州刺史麾蓋將行又換鄜陽歷官十五竟未充量其爲御史也貫常侍至以才名尹轂下實所慰薦爲之賓介將常侍沇以公廉幹河運交辟將事宏助居多其宰封畿也縣鄗之地直於西郊禁衛之師勤於左次事爲之節官修其方軍興人安闔境謠誦其佐晉陵也晉國韓公當撫封之重署爲推官軺傳所至平反審克假守新定

新定之人宜之薄於進取未數月引去其領陵邑也充奉肅敬閭里均安黠吏強家望風累息相率屏匿者十八九其分憂爲邦約己惠人樂易而知禁淸明而不擾此皆懋職必聞之效也至若章章尤著爲士君子之所景行者則奉使西土鄙能言之縣官以乘塞徭兵旌旆相望饋饟之重非君莫可旣而經費出納制於中臺尅伐之人順非言利大率以布帛之不中於度不鬻於市者積以竊濫備其名物移用於軍增三倍之價不糴於人無一時之蓄掠是根本命爲奇贏旣裒邊備貿蔽理道時有覆視誨其相蒙徒列簿書之文不登釜鍾之量因緣繆巧觸類而起君受命不苟臨事風生條其積弊盡達聰聽雖狺狺之吠營營之飛置於度外不直不已連章上愬詞旨深切羣情惴駭處之恬然謝病乞告終無所屈皇明嘉納人亞九卿時搢紳之士多以憑暴爲戒怵迫附離而不能自固者多矣如君之特立剛毅不更其守古之儒行何以加焉此德輿所以受其孤之哀請而不敢辭也君之曾祖元基皇朝

散大夫會州長史祖紹先皇揚州揚子縣尉父旻皇大理司直兼河南府河陰縣令代名士行裕是遺烈初君娶於某氏某官某之女生子曰包而歿繼室以某氏某官某之女皆有淑行如君之志以十四年某月日叶用吉卜祔窆於河中某縣鄉原之舊封禮也初包以德輿朴而好直且嘗奉行君之命書者四乃列其官簿次第俾識於墓石旣而包毀瘠滅性夭於倚廬之中諸其請矣故銘之曰

崔君之直兮不枉尺兮崔君之正兮不由徑兮展如之人宜錫蕃祉兮天實柰何一麾遄已兮襜襜帷裳來自鄜之陽兮峩峩邱封葬於河之東兮刻此貞珉識淸風兮

右補闕翰林學士梁君墓誌銘 并序　崔元翰

唐右補闕翰林學士皇太子諸王侍讀史館修撰梁君諱肅字寬中其先安定人繇漢魏已降至於隋氏世有爵位家貫門盛刑部尚書邯鄲公曰毗君之五代祖以至於唐朝散大夫右臺侍御史

趙王行臺記室宜春公曰敬賓公之高祖朝散大夫右臺侍御史曰愕君之曾祖祖昱終於莫州任邱令父邃止於司樂率府兵曹參軍事安卑於燕薊避亂於吳越故其世少衰焉君嘗爲司樂府君靈表以表其墓自敘其世系甚備公建中初以文詞清麗應制授太子校書請告還吳相國蘭陵蕭公薦之擢授右拾遺修史以太夫人羸老有沈痼之疾辭不應召其後淮南節度使吏部尚書京兆杜公表爲殿中侍御史内供奉管書記之任非其所好貞元五年以監察御史徵還臺於是備諫諍而侍於大君傳經術而授於儲后典文章於近署埀勸戒於東觀授赤紱銀印之錫聞者榮之九年冬十有一月旬有六日寢疾於萬年之永康里享年四十有一詔贈禮部郎中賻以布帛十年春正月二十八日葬於京師之南小趙村之原予徽之宏之俱未冠嘗學文矣幼子未名小字振振夫人京兆韋氏抱之以纔從其輤車哀感行旅嗚呼君之寓於江南年十六而先府君歿事祖母以至孝聞在覊旅之中當離亂之際貞固而未嘗忘於道廉讓而未嘗虧於義年十八趙郡李遐叔河南獨孤至之始見其文稱其美由是大名彰於海内四方之諸侯洎使者之至郡吏遣招辟而賓禮之其升於朝無激訐以直己無逶迤以曲從不爭逐以務進不比周以爲黨退則澹然而居於一室傲遺乎萬物貫極乎六籍旁羅乎百氏考太史公之實錄又考老莊道家之言皆覩其奧而觀其妙立德玩詞以爲文其所論載諷詠法於春秋協於謨訓大雅之疏達而信頌之寬靜形焉博約而深厚優游而廣大其三占之遺有文集三十卷爲學者之師式嘗著釋氏止觀統例幾乎易之繫詞矣前後五歲職必更於清顯擢必首於後造歿之日位未及於褒賢之典然而天子憯怛悼痛恩有加焉假之以壽則將有器使之符柄用之重是直屈於短夭而無命非不遇也執友博陵崔元翰哀之乃爲銘於墓門識其邱隴銘曰

懿文德埀典則以藻身又華國命之短哀何極

故襄陽丞趙君墓誌銘 并序　　柳宗元

貞元十八年月日天水趙公矜年四十二客死於柳州官爲斂葬於城北之野元和十三年孤來章始壯自襄州徒行求其葬不得徵書而名其人皆死無能知者來章日哭於野凡十九日唯人事之窮則庶於卜筮五月甲辰卜秦誗兆之曰金食其墨而火以貴其墓直丑在道之右南有貴臣冢土是守乙巳於野宜遇西人深目而髯其得實因七日發之乃覲其神明日求諸野有叟荷杖而東者問之曰是故趙丞兒耶吾爲曹信是邇吾墓噫今則夷矣直社之北二百舉武吾爲子蕝焉辛亥啟土有木焉發之緋衣緅衾凡自家之物皆在州之人皆爲出涕誠來章之孝神付是叟以與龜偶不然其協焉如此哉六月某日就道月日葬於汝州龍興縣期城之原夫人河南源氏先歿而祔之矜之父曰漸南鄭尉祖曰倩之鄭州司馬曾祖曰宏安金紫光祿大夫國子祭酒始矜由明經爲舞陽主簿蔡帥反犯難來歸擢授襄城主簿賜緋魚袋後爲襄陽丞其墓自曾祖以下皆族以位時宗元刺柳用相其事哀而旌之以銘銘曰

誗也孳之信也蕝之有朱其紱神具列之懇懇來章神實恫汝錫之老叟告以兆語蠱其鼓舞從而父祖孝斯有終宜福是與百越蓁蓁羈鬼相望有子而孝獨歸故鄉涕盈其銘旌爾勿忘

唐故朝議郎行鄂州司倉參軍楊公墓誌銘 并序　　歐陽詹

公諱某字某其先關右宏農人永嘉過江公自始遷之祖若干代處於閩越曾祖某皇唐循州司馬祖某漳州長史父某泉州南安縣丞公則南安第若干子長七尺骨目瓌異溫良節行所至自昭風神識度羣居不掩六籍外偏好穰苴管子之術永泰中以耕戰之法致梁宋軍書用有成大厤元年節度使右僕射田公薦授左武衛率府倉曹參軍事在位以貞慎聞公以不仕則墜業躁求則背道或出或處聖人爲中依吏部節文敬遵常調大厤八年集授

吉州永新縣丞興元元年集授廬州司田參軍貞元二年授鄂州司倉參軍累職貞慎如率府倉曹時每罷官待集卜勝屛居晏如也鄂州秩滿愛其風土亦止焉貞元十二年冬又合集春赴京師遇疾於途以二月四日終於汝州龍興縣之逆旅時年六十七凡入仕三十一年歷官四政祿非豐儉以足務雖劇通以簡上以中正重下以公平矚皆白珪無玷朱弦有聲嗚呼公之材之量如鐘含音如水待盛大小當應方圓必合我則不衒人胡不求莫能全展光耀以至殞沒悲夫夫保性居業時行則行時止則止道也公昔於名宦之理是焉士祿農耕猶生則營若死則已亦道也公昨於岐路之役是焉公存以道始亡以道終至人不違道公與之周旋正矣乎善終始者也夫人隴西彭氏戴天之慼痛以禮成長子晃次子暈季子杲伏凶之號以至見血以某年某月日卜葬某鄉某原禮也佳城一閉他時古邱後之人孰知邱中之德墓許有誌故爲墓誌銘庶覩今爲古者明斯地泉下有君子焉銘曰

一種鱗物神則曰龍一種植物貞則曰松楊公於人被貞役神藝術潛宏溫良内克名不稱實祿有負德夭桃信美不能秋敷冬日可愛亦用西徂大期斯來無賢無愚英英楊公與逝川俱卜此修原有形永宅東海西山其廬罔易

文粹補遺卷弟十四

文粹補遺卷弟十五

吳江　郭麐　纂

誌銘三　總九首

唐故金紫光祿大夫尚書右僕射致仕上柱國宏農郡開
國公食邑二千戶贈司空楊公墓誌銘　李翺
故處士侯君墓誌
唐故平盧軍節度巡官隴西李府君墓誌銘　杜牧
唐故范陽盧秀才墓誌
馬氏女雷五葬誌　柳宗元
故朔方節度掌書記殿中侍御史昌黎韓君夫人京兆韋
氏墓誌銘　李翺
葬安氏誌　元稹
嗣曹王故太妃鄭氏墓誌銘　穆員
唐通和先生祖君墓誌銘　許鼎

唐故金紫光祿大夫尚書右僕射致仕上柱國宏農郡開國公食邑二千戶贈司空楊公墓誌銘　并序

李翺

由楊喜追殺項羽以功封侯後數世生敞官至丞相敞曾孫寶不應王莽之命光武特徵老病不到寶生震諸儒謂之關西孔子位至大司徒太尉卒以忠死楊氏由是益大載於史傳世不絕人曾祖珪辰州司戶贈膳部員外郎大父冠俗奉先縣尉贈吏部郎中父太清宋州單父縣尉累贈至太保公諱於陵字達夫年十八舉進士第選補潤州句容主簿鄂岳觀察使奏爲判官轉左驍衛兵曹累改評事監察御史歷殿中得緋衣銀魚使遷江西公隨之加侍御史著作郎及府除房居建昌不至京師貞元八年徵拜膳部員外郎轉考功知別頭舉轉吏部員外郎及判南曹宰相之親有以文書不足駮去者宰相召吏人詰之堅執不改遂以公爲宣武弔祭使故事南曹郎未嘗有出使者公既出宰相之親由是判成

矣故公卒不得在詔誥之清選遂爲右司郎中郎官情於宿直踈直多以假免公白右丞建立條例郎官不悅爲作口語宰相有知其事者遽以公爲吏部郎中改京兆少尹出爲絳州刺史有言公弗當居外者德宗召見遂以爲中書舍人其年知吏部選事時京兆尹李實有寵去不附己者故給事中許孟容爲太常少卿而公改祕書少監德宗崩爲太原幽鎮等十道告哀使節將之遺直辭不受復命除華州刺史賜三品衣魚所取賓僚皆一時名人後髂顯官有至宰相者其年冬遷浙江東道團練觀察使越中大饑人至相食公奏請度支米三十萬斛又乞糴他道以賑救之民得生全入爲戸部侍郎未到改京兆尹奏請諸軍使有犯罪者皆禁身推罪以狀牒送本軍又請屬諸軍諸使人置挾名敕五丁赴推兩丁屬軍遞立節限以便於治詔皆可其奏京師稱之復爲戸部侍郎人望益重僉以公遂爲宰相會考制舉人奬直言策爲第一中貴人大怒宰相有欲因而出之者由是爲嶺南節度使是時得考策者凡四人公既得嶺南員外郎韋貫之再貶巴州刺史而李益鄭敬皆抵於患其在廣州以韋詞爲節度判官任之以政改易侵人之事凡一十有七嶺外之人至茲傳道之節度使徐申以己俸薄月加三十萬且曰後來所期其守公引常袞所奏敕皆罷之撤去蒲葵陶瓦覆屋遂無火災民賴以安監軍許遂振好貨戾彊而小人有陰附之者故遂振密表譖公直言韋詞李翺惑亂軍政於是除替罷歸遂振既領後事摭撻吏人求公之非吏人大聲呼曰揚尚書他方所遺尚不收去豈有侵用官錢乎遂振遽合取他方所遺及其既至封印不啟遂振慙而止宰相裴垍素未知公及遂振之譖遂以公爲吏部侍郎重修甲敕用備姦源又於南曹更置別厤以相檢覆奏合選人納直爲出籤告以給之吏息奸欺官收羨錢公食豐絜廨宇以修迄茲守行遂爲故事凡歷四年補內外官三千餘員皆當其分無怨訴者轉兵部侍郎兼御史大夫判度支當淮西用兵漕輓供饋鹽鐵積欠官錢黜之廷辯高霞寓以唐

鄧之師攻蔡州怯懦不敢直進欲南抵申州出於空虛不守之地其路險狹糧運難繼公面於上前累言利害並以疏陳霞寓逗留之狀請於北道直進足以援許汝之師賊勢自蹙上許之霞寓深怨之遂內外結構出爲郴州刺史霞寓果敗由是談者知公之寃其爲郴州躬勤於治不以卑遠爲薄明年召拜原王傅數日又爲戶部侍郎復知吏部選事元和十四年淄青平兼御史大夫以本官充東平宣慰處置使是時初誅李師道得兗鄆州等十二州列爲三道劉悟既除滑州猶未出鄆及公至悟出迎公促之悟即日遂發頒行賞賜皆得其實上甚悅謂宰臣曰楊某不易得及浙西觀察使李修死上問宰臣崔羣皇甫鎛曰何不進浙西人名皇甫鎛知公方有恩懼作相遂言公所至皆有理績以臣所見莫如楊某凡數百言上惟以一字應之曰惜人聞之者且以必爲相矣是時裴門下既出太原崔中書爲鎛所譖鎛又改尊號中上旨故鎛計竟行而公不相矣明年遷戶部尚書又一年改太常卿又一年

改東都留守兼兵部尚書御史大夫充蘄汝都防禦使既三年方將告休會以疾而罷乃歎曰年老致政本吾夙志茲則負吾生平心矣疾平遷檢校左僕射兼太子少傅或勸求分司以自便者公曰年至力憊便當乞骸骨於朝何用分司爲遂西至京師朝謝訖不到中書遂還私家不判上案三上表乞自退詔遷左僕射致仕全給俸料數月上表固讓乞就半俸許之廟享之外不復經過人家每佳辰體安則以子弟孫僮侍遊於園沼之中用以爲適大和四年十二月癸亥以疾薨於新昌第享年七十有八天子爲之廢朝凡朝廷之賢設位而哭者不知幾人冊贈司空明年四月庚午歸葬鄭州滎澤縣先太保之兆祔於潁川韓氏贈華陰郡太夫人之塋夫人丞相少師休之孫丞相晉國公滉之女柔順之德紀於前銘下從舅姑四十有三年矣子景復衛尉卿曰嗣復戶部侍郎曰紹復舉進士登宏詞科曰師復未仕用文爲業女適右司郎中韋公素孫承煥試大理評事鄜坊節度巡官承渙之下及在童稚

者十有一人大卿侍郎以翱之受恩也久來請誌銘曰

公生六年太保棄捐未及成童號國又終漂泊江湖誰食誰衣服習文章不勞於師爰始有名旣於丞歸六十一年祇慎德儀由直屢黜進無異詞凡所臨莅去而可思與之厚者莫匪儁材自我進者多遇良能恩逮葭莩濡洽以財祖免緦麻亦盡其哀止足告歸偃息邱園子肖孫童十有五人有列卿曹貴爲侍郎祿秩且多膳飮馨香門吏諸生中外顯光車馬盈門歲時之良旣壽且貴示終以常福薦攸歸疇可比望爲廟太祖百世烝嘗

故處士侯君墓誌

侯高字元覽上谷人少爲道士學黃老練氣保形之術居廬山號華陽居士每激發則爲文達意其高處駸駸乎有漢魏之風性剛勁懷救物之略自儕周昌王陵所如固不合視貴善官者如糞溲與平昌孟郊東野昌黎韓愈退之隴西李渤濬之河南獨孤朗用晦隴西李翱習之相往來汴州亂兵士殺留後陸長源東取劉逸淮乃作弔汴州文投之大川以訴貞元十五年翱遇元覽於蘇州出其詞以示翱翱謂孟東野曰誠之至者必上通上帝聞之劉逸淮其將不久後數月而劉逸淮竟死其首章曰穹穹與厚厚兮鳥憤予而不攄翱以爲與屈原宋玉景差相上下自東方朔嚴忌皆不及也達奚撫爲楚州起攝盱眙祭酒李公遜刺衢州請治信安其觀察浙東又宰於剡三縣皆有政不幸得心疾留其子狗兒於翱家而歸廬山不到卒江西其子壻王適使傭吉勉求君所如値君卒吉勉以君喪殯於袁州之野而復於適適又死適之妻使吉勉來告於翱翱以狗兒歸適妻居二年適妻又死狗兒尙童翱慮吉勉之短長不可期則君之喪終不墳矣故使吉勉往葬之而識其墓以示狗兒

唐故平盧軍節度巡官隴西李府君墓誌銘 并序

杜牧

牧大和元年擧進士及第鄉貢上都有司試於東都在二都羣進

士中往往有言前十五年有進士李飛自江西來貌古文高始就禮部試賦吏大呼其姓名熟視符驗然後入飛曰如是選賢耶即求貢如是自以爲賢耶因袖手不出明日徑返江東牧曰誠有是人吾輩不可得與爲伍矣後二年事故吏部沈公於鍾陵宣城爲幕吏兩府凡五年聞同舍生蘭陵蕭寘京兆韓乂博陵崔壽每品量人之等第必曰有道有學有文如李處士戡者寡矣是卑進士不舉嘗名飛者牧益恨未面其人且喜其人之在世也大和九年爲監察御史分司東都今諫議大夫李中敏左拾遺韋楚老前監察御史盧簡求咸言於牧曰御史法當檢謹予少年設有與遊宜得長厚有學識者因訪求得失資以爲官洛下莫若李處士戡牧謝曰素所恨未見者即日造其廬遂旦夕往來開成元年春二月平盧軍節度使王公彥威聞君名挈卑辭於簡副以幣馬請爲節度巡官明年春平盧府改君西歸病於路卒於洛陽友人王廣思葬里第享年若干君諱戡字定臣七代祖渤海王奉慈祖杠衢州

盈川令父蹇婺州浦陽尉浦陽晚無子夫人吳興沈氏夢一人狀甚偉捧一嬰兒曰予爲孔某以是與爾及期而生君因名曰天授君幼孤旁無羣從可以附託年十餘歲即好學寒雪拾薪自炙夜無燃膏默念所記年三十盡明六經書解決微隱蘇融雪釋鄭元至於孔穎達輩凡所爲疏注皆能短長其得失一舉進士恥不肯試歸晉陵陽羨里得山水居之始開百家書緣飾事業每有小功喪訖制不食肉飲酒語言行止皆有法度陽羨民有鬬諍不決不之官人必以詣君所著文數百篇外於仁義一不關筆嘗曰詩者可以歌可以流於竹鼓於絲婦人小兒皆欲諷誦國俗薄厚扇之於詩如風之疾速嘗痛自元和以來有元白詩者纖豔不逞非莊士雅人多爲其所破壞流於民間疏於屏壁子父女母交口教授淫言媟語冬寒夏熱入人肌骨不可除去吾無位不得用法以治之欲使後代知有發憤者因集國朝以來類於古詩得若干首編爲三卷目爲唐詩爲序以導其志居江南秀人張和實蕭寘韓乂

崔壽宋邢楊發王廣皆趨君交之後皆得進士第有聲名官職君尚爲布衣然於君不敢稍怠君在洛中困甚河陽節度使蕭洪移鎮鄜州諫議大夫蕭俶以君言於洪洪素敬諫議即欲謁君以請君曰人聞諱言洪盜藉外戚一窺其面能易吾死尚且不忍況爲其黨乎居數月洪果敗娶宏農楊氏女早卒子二人長曰審之次曰鼎郎始五歲以某年月權葬於常州義興縣某鄉里某於君爲晚交得君最厚因爲之銘曰

命如煙雲道比宫宅煙雲飄揚莫知往來爲道不至無以偃息有道有命偶然相値命不在我不肖亦貴豈可指此與彼爲市嗚呼定臣曰德孔修曰學必聖飭我兢兢一不言命可傳其心以敎後生嗚呼哀哉

唐故范陽盧秀才墓誌

秀才盧生名霈字子中自天寶後三代或仕燕或仕趙兩地皆多良田畜馬生年二十未知古有人曰周公孔夫子者擊毬飲酒策馬射走兎語言習尚無非攻守戰鬭之事鎮州有儒者黃建鎮人敬之呼爲先生建因語生以先王儒學之道因復曰自河而南有土地數萬里可以燕趙比者百數十處有西京東京西京有天子公卿士人畦居兩京間皆億萬家萬國皆持其土產出其珍異時節朝貢一取約束無禁限疑忌廣大寬易嬉遊終日但能爲先王儒學之道可得其公卿之位顯榮富貴流及子孫至老不見戰爭殺戮生立悟其言即陰約母弟雲竊家駿馬日馳三百里夜抵襄國界捨馬步行徑入王屋山請詣道士觀道士憐之留之門外廡下席地而處始聞孝經論語布褐不襪捽草爲茹或竟日不得食如此凡十年年三十有文有學日閑習人事誠敬通達汝洛間士人稍稍知之開成三年來京師舉進士於羣輩中酋酋然凡曰進士知名者多趨之願與之爲交生嘗曰丈夫一日得志天子召於座前以笏畫地取山東一百二十城唯我知其甚易耳因言燕趙間山川夷險敎令風俗人情之所短長三十年來王師攻擊利與

不利其所來由明白如彩畫一一可以目覩開成四年客遊代州南歸某月日於晉州霍邑縣界晝日盜殺之京師名進士聞之多有哭者資其弟雲至霍邑取生喪來長安以某年月日葬於城南某鄉里其所資費皆出於交遊間曾祖昌嗣涿州刺史祖顗易州長史父勸鎮州石邑令某常以生之材節薦生於公卿間聞生之死哭之因誌其墓

馬氏女雷五葬誌　柳宗元

馬室女雷五父曰師儒業進士雷五生巧慧異甚凡事絲纊文繡不類人所爲者余覩之甚駭家貧歲不易衣而天資潔清修嚴恒若簪珠璣衣紈縠寥然不易爲塵垢雜年十五病死後二日葬永州東郭東里以其姨母爲伎於余也將死曰吾聞柳公嘗巧我慧我今不幸死矣安得公之文志我於墓其父母不敢以云葬之日余乃聞焉既而憫焉以攻石之後也遂爲砂書元磚追而納諸墓

故朔方節度掌書記殿中侍御史昌黎韓君夫人京兆韋氏墓誌銘并序　李翺

夫人姓京兆韋氏尚舍奉御說之次女也年十三執婦道於昌黎韓氏府君諱弇自後魏尚書令安定桓王六世生禮部郎中雲卿禮部實生府君府君進士及第朔方節度請掌書記得祕書省校書郎累遷殿中侍御史貞元三年吐蕃乞盟詔朔方節度使卽塞上與之盟賓客皆從其五月吐蕃不肯盟殿中君於是遇害時年三十有五夫人始年十有七矣有女子一人其生七月而孤夫人之母前既不幸矣夫人以其女子歸於其父不數年其父又不幸夫人泣血食貧養其子有道自愼於嫌節行愈高雖烈丈夫之志不如也猶有董氏姊繼衣食仁之焉不數年董氏姊又不幸夫人於是天下無所歸託矣殿中君從父弟愈孝友慈祥貞元十六年以其女子歸於隴西李翺夫人從其女子依於李氏焉降年短命三十有二貞元十八年八月甲辰卒於汴州開封新里鄉之某村其明年正月辛酉隴西李氏以其喪葬之於陳留縣安豐鄉岡原殿中

君之先葬於河陽惟君之沒不得其喪夫人是以不克葬於河陽而獨墳於陳留弗克祔於殿中君之族而依於女子氏之黨以從女子之懷權道也且將有待也殿中君文行甚修位甚卑沒於王事初禮部君好立節義有大功於昭陵其文章出於時而官不甚高殿中君又無嗣嘗聞諸君子曰位不稱德者有後禮部君曷爲然哉於是敘其孤女之悲以誌於墓門銘曰

女子之生兮七月而孤所恃者母兮夫何辜天蒼蒼兮不迴生幾時兮終日哀

葬安氏誌并序　元稹

予稚男荆母曰安氏字仙嬪卒於江陵之金隄鄉莊敬坊沙橋外二里嫗樂之地焉始辛卯歲予友致用憫予愁爲予卜姓而授之四年矣供侍吾賓友主視吾巾櫛無遂命近歲嬰疾秋方綿痼適予與信友約浙行不敢私廢及還果不克見大都女子由人者也雖妻人之家常自不得舒釋況不得爲人之妻者則又閨衽不得

專妒於其夫使令不得尊命於其下外己子不得以尊卑長幼之序加於人疑似逼側以居其身其常也況予貧性復事外不甚知其家之無苟視其頭面無蓬垢語言不以饑寒告斯已矣今視其篋笥無盈丈之帛無成襲之衣無帛裏之衾予雖貧不使其若是可也彼不言而予不察耳以至於其生也不足如此而其死也大哀哉稚子荆方四歲望其能念母亦何時幸而立則不能使不知其卒葬故爲誌且銘銘曰

復土之骨歸天之魂亦既墓矣又何爲文且曰有子異日庸知其無求墓之哀焉

嗣曹王故太妃鄭氏墓誌銘并序　穆員

大唐貞元景寅歲秋七月已酉荆南節度觀察使戶部尚書御史大夫江陵尹嗣曹王皐奉先太妃滎陽鄭氏之喪歸於先王贈尚書左僕射諱職之居實洛陽邙山之原先是皇帝使中謁者詔東京有司備鹵簿鼓吹洎祖載儀衛之物且監視之事之前日嗣王

有虞乎山壞泉隧不常陵穴迺以百世之後貽厥來者之義屬於小生太妃諱仲字正和恆州司兵文恪之孫郴州司戶休璿之子鄭之於百族也如羣嶽之聳衆山焉溢於世間事不待紀太妃以禮之節爲質以樂之和爲性以詩之鵲巢釆蘩小星殷雷易之坤蠱家人爲德小大由之且以其餘施之於外夫是以賢子是以貴以利於家邦年十有四歸於公族又十四歲而先嗣王即世王屋天壤之下有別墅焉太妃挈今之嗣王與女子子洎夫族之叔妹未冠笄者與本族凋喪之遺無告者合而家之居無生資勤儉自力仁以恤智以圖使夫飢待我粒寒待我纊婚姻宦學蒸嘗之禮待我以時嗣王年甫及笄其所以導成慈訓者則以父嚴師教之道兼而濟之於是天下晏然而事有將亂之兆太妃念嗣王之壯必及經綸不患不貞患不更踐不患不聞先王之訓患不知下人之生率以仲尼鄙事爲教及其長也見其爲龔黃見其爲方召享其孝敬勳榮祿位三者日躋之報焉嗚呼月塈而虧天之道也以

建中三年冬十月九日遘疾薨於潭州官舍之寢享年七十有二嗣王奉喪歸葬達於南荆國難方興天下否塞朝廷倚宗周維城之固加於郡帥一等乃用魯公伯禽有爲之變俾復其位且使即其次而窆焉嗣王銜恤奉詔以戰克以攻拔統江西援江陵其事墓也如生平之養其哀號也執干戈者悲之今玆龜筮叶謀優詔惟允議者或曰東南之鎭荆州爲大降寇僅滅多虞未忘遺羊杜之重徇曾閔之節越三千里執喪釋位謂安危何員以爲嗣王之於朝廷也囊竭之以忠朝廷之於嗣王也今遂之以孝君臣家國之際於是乎古無以踰況其奉先之志不可以奪臨下之政必可以保且用崇厥孝理始於本枝使爲子者悅事君者勸以感人心以順天下不然何卒葬弔贈天王之錫命視於同盟有加等焉初湖南部將有王國良者嘗危疑負固歷年不下嗣王爲帥恭太妃之教以子召之國良捧檄如歸撫之以信其後入衞中禁錫名維新乃曰爾來之生今日之寵罔極之德也哀請赴葬上嘉而許之

其執禮致毀視於苫凶是以係之於篇銘曰
抑抑母儀稟訓德門來嬪王族慶集宗臣如彼崇山應時出雲霈
然作雨澤潤生人裕我之蠱啟茲寵勛臣戴中興爲唐晉文宜爾
百祿享茲萬春運奪其養天胡匪仁清洛之陽修邙之阜我歸我
居我徒我友維邙與洛將安宅之相久

唐通和先生祖君墓誌銘并序　許鼎

先生諱貫字子元范陽人曾祖濟洺州司馬祖計掌膳部父斌守植不仕先生性寬平家人州里莫得見其喜怒長短頗覽書傳尤工詩句天才器識少有倫侶餘修黃老之術初賀監知章得攝生之妙近數百年不死負笈賣藥如韓康伯近於台州上升偏於人聽元和己亥年先生遇之謂先生曰子寬中而柔外可語以至道也偃家品秩如青紫基級不可驟賓必以退節爲首退節則寡欲寡欲則神逸神逸則無爲無不爲也反此而求道猶卻走以追奔也子其志之後遇今歲遇爾於小有也乃授斷穀丹經先生盟而受之吞一粟則十年不饑門人得之皆符經訣於是先生道譽喧動公卿耳目求見就謁凡累十八人丁酉年鄂侯楊公爲華牧張公乞丹於先生先生曰學道先乎養神然後吞藥藥吏也神君也君逸於上吏勞於下以勞助逸是謂萬畢貫將吞丹也坐忘所思行忘所之卻視其身蕭寥希夷所以絕穀十年不饑今張公萬乘杜石百姓父母一物失所必軫於懷欲無勞神其可得乎雖九轉還丹亦無補也公曰其言至矣己亥年秋九月先生召門人壻姪曰二儀者萬有之逆旅兩曜者百靈之燈燭欲燈燭之不曉安逆旅之不去怪矣況賀公之期至矣乃就沐浴如有所候粵八日奄然委化壽九十有五先生夫人胡氏蚤死無嗣一女適張審言無男一女適黃虞卿雖別族姓皆得鳳毛伏覽經法養志邱園聲華藉甚則曰先生無愧矣始刻石子壻與表姪孫謝隱門弟子閔仲孚等議曰昔婁妻諡其夫曰康至今韙之二三子得不以黔妻爲式乎我先生聽於無聲視於無形不曰通乎言不訟物之短心不繫

時之非不曰和乎謹號通和先生以彰先生之德也何如僉曰俞遂刻號於石其年冬十一月十一日葬東北隅祔胡夫人墳右世禮也鼎亦先生所教者奉門人壻姪命爲墳表銘曰

北西山南東湖水爲陵山爲涔先生名字終不誣

文粹補遺卷弟十五

游文非不曰和平[illegible][illegible]和先生已[illegible]先生之文遠也何知命曰命

錢[illegible][illegible]分名其年冬十一月十一日葬東北[illegible]胡夫人[illegible]合世

學由昭示先生所教者有門人所述命為遺表[illegible]曰

[illegible]西山[illegible]東[illegible]水[illegible]陵山[illegible][illegible]先生[illegible][illegible][illegible]不延

文粹補遺卷之十五

文粹補遺卷第十六

吳江　郭麐　纂

行狀 總四首

兵部尚書代國公贈少保郭公行狀 張說

故正議大夫行尚書吏部侍郎上柱國賜紫金魚袋贈禮部尚書韓公行狀 李翱

皇祖實錄

請盧尚書撰故處士姑臧李某誌文狀 李商隱

兵部尚書代國公贈少保郭公行狀　張說

公名震字元振本太原陽曲人也大父任相州湯陰令因居於魏公少倜儻廓落有大志儀觀雄傑身長七尺美鬚髯十六入太學與薛稷趙彥昭同業時有家僕至寄錢四百千以為學糧忽有一人縗服叩門云五世未葬棺柩各在一方今欲齊舉大事苦乏資用聞君家信至頗能相濟否不問姓名以車載去一無所留深為

趙薛所誚公怡然曰濟彼大事亦何誚焉十八擢進士第其年判入高等時輩皆以校書正字為榮公獨請外官授梓州通泉尉至縣落拓不拘小節嘗鑄錢掠良人財以濟四方海內同聲合氣有至千萬者則天聞其名驛徵引見語至夜甚奇之問蜀川之跡對而不隱令錄舊文乃上古劒歌其詞曰君不見昆吾鐵冶飛炎煙紅光紫氣俱赫然良工鍛煉凡幾年鑄得寶劒名龍泉龍泉顏色如霜雪良工咨嗟歎奇絕琉璃玉匣吐蓮花錯鏤金環生明月正逢天下無風塵幸且用防君子身精光黯黯青蛇色文章片片綠龜鱗非直結交遊俠子亦曾親近英雄人那知中路遭棄捐零落漂淪古獄邊雖則沈埋無所用猶能夜夜氣衝天則天覽而佳之令寫數十本遍賜學士李嶠閻朝隱等遂授右武衛胄曹右控鶴內供奉尋遷奉宸監丞屬吐蕃請和親令報命至境上與贊普相見宣國威命責其翻覆長揖不拜瞋目視之贊普曰漢使多矣無如公之誠信遠近疆界立談悉定因遺金數十斤而還公悉以進

上奏言揣彼上下之情人倦其隸役久矣咸願早和大將論欽陵不爭四鎮獨不欲耳但國家每歲不絕其使而欽陵常不稟命自然彼蕃之人怨欽陵日深望國恩日甚設欲廣舉兵徒難矣斯乃反間之微旨也必可使其上下俱懷猜阻矣則天甚然之無何吐蕃君臣果相疑貳遂誅欽陵弟贊婆及其兄子莽布支並來降公聲名藉甚授御史加朝散大夫遷主客郎中吐蕃與突厥連和大入西河破數十城圍逼涼州節度出城戰沒蹂禾稼斗米萬錢則天方御洛城門酺宴涼州使至因輟樂拜公爲涼州都督兼隴右諸軍大使調秦中五萬人號二十萬以赴河西公至涼州吐蕃素聞威名相謂曰我贊普猶懼吾輩何可敵乎相率而去公收合餘眾繕修城壁施法令屯田一年而復公之功也公以涼州西拒吐蕃北有突厥久示其弱未揚天威因徵隴右兵馬一百二十萬號二百萬集於湟州營幕千里舉烽號令時宗楚客爲相素與公不協令人告變則天惶懼計無所出狄仁傑魏元忠韋安石李嶠宋

璟姚崇趙彥昭韋嗣立張說二十五人抗表請保如公有異圖並請身死籍沒則天由是稍安兵既大集人又知教分兵十道齊進過青海幾至贊普牙帳贊普屈膝請和獻馬三千匹金三萬斤牛羊不可勝數公大張軍威受其蕃禮而還既伏西戎震威北狄突厥獻馬二千匹所獲涼州人士皆放歸塞上從此方鎮肅清蕃落畏慕令行禁止道不拾遺凡所規模制作率爲後法河西隴右十餘處置生祠堂立碑頌德闔立均等爲其文尋有詔許入朝公素無第宅寄居友人之舍候鼓入朝忽有人馬前送狀開緘前人已去狀中惟有物數而無姓名便於樹下獲騾馬二十餘匹帛三千匹公曰豈非太學請葬之士乎因以買宅居止辟稷趙彥昭聞之皆嗟歎良久景龍年中宗楚客韋處訥等潛結朋黨憎功害能授公驍騎大將軍兼安西大都護四鎮經略使金山道大總管時烏質勒久恃眾倨傲不屈朝廷縱兵遠掠道路不通公以眾寡不敵難以力制因率麾下數十騎徑入部落烏質勒大出兵衛出迎望

見公威容端毅風靈若神不覺屈膝因而下拜公宣國威命抗聲與語自朝至暮雪深尺餘竟不移足質勒頻拜伏語畢歸帳相去二十餘里質勒久立雪中會卒疾發是夜暴卒其嗣子娑葛集諸將曰漢使殺我君父今須復讐大舉兵衆將追殺公聞質勒死遲明素服來弔道路相逢兵圍數匝娑葛見公忽來未之敢逼但言衛護漢使公至其帳下大哭流涕因撫定其嗣蕃人大喜留數十日助其葬事娑葛獻馬三千匹牛羊十餘萬移居千里西域無事道路肅清諸蕃聞之遣使歸降者十餘國時人語之曰郭元振詭殺烏質勒知娑葛與闕啜有釁奏請移於瓜州制從之會中書令宗楚客受金遂寢其事公具以狀聞楚客恃勢囑請召公將陷之公不從又奏請斬楚客清蕃落時韋庶人竊弄國權中宗竟不之省也初安西南有毒河源遠在葱嶺西北河岸百步人畜踏之者輒死公威振西域所向無不從者因驗圖經知其源率兵三萬人歷于闐康居大食等十餘國所過之國令供資糧仍署其國王爲

左右總管率兵前進北至葱嶺牙帳前十二國王兵百餘萬其河源上有大樹高千餘尺垂陰數頃大軍至日有黃龍繞樹以口吐毒氣而拒官軍三軍悉覩焉公手書操檄文令左拾遺張宣抗聲讀之畢黃龍解樹而下公率諸軍誅之數日方倒聚而焚焉河源且絕數十里內悉爲良田在安西十餘年四鎮寧靜韋庶人知政屢徵不至因下僞詔令侍御史呂守素中丞馮家賓相繼巡邊欲將害之未及皆爲娑葛等諸蕃劫殺之睿宗卽位徵拜太僕卿敕至之日舉家進發安西士庶諸蕃酋長號哭數百里或剺面截耳抗表請留因給之而後卽路其至玉門關也去涼州八百里河西諸州百姓蕃部落聞公之至貧者攜壺漿富者設供帳聯緜七百里不絕公旌節下玉門關百姓望之宛轉叫呼聲動巖谷自朝至暮傳呼至涼州涼州城中男女在衢路並歌舞出城咸言我父至矣通夜城門不受禁制都督司馬逆客聞之謂公近矣陳兵出迎會候騎至云始入玉門關都督嗟歎良久且狀聞至京同中書門

下三品加銀青光祿大夫遷兵部尚書封館陶縣男依舊知政事
尋轉吏部尚書知選舉屬請不行大收草澤睿宗屢下詔褒美後
默啜大寇邊拜刑部尚書充朔方道行軍大總管築豐安定遠等
城以拒賊路尋加金紫光祿大夫再遷兵部尚書知政事仍舊元
帥會太平公主竇懷貞潛結凶黨謀廢皇帝睿宗猶豫不決諸相
皆阿諛順旨惟公廷爭不受詔及舉兵誅竇懷貞等宮城大亂睿
宗步出肅章門觀變諸相皆竄外省公獨登承天門樓躬侍睿宗
聞東宮兵至將欲投於樓下公親扶聖躬敦勸乃止及上即位宿
中書十四日獨知政事因下詔曰大臣立事夷險不易良相昇朝
安危所繫兵部尚書同中書門下三品上柱國館陶縣開國伯元
振偉才生代宏量匡時經綸文武今之王佐出入將相古之人傑
夙侍宸扆疇咨廟堂思致堯舜以期管樂朕往在儲闈洎登寶位
每觀其仗義感激願制凶邪立誠慷慨密陳宏益爾其至矣朕實
嘉之頃者梟獍興謀干戈作釁太上皇帝既命朕除討元振又馳
奉宸極始則齎予爲弼終則寧朕問安可謂格於皇天貫於白日
元惡既翦庶物惟新昌言是圖朕豈忘舊宜開井邑永誓山河可
進封代國公賜實封四百戶物一千段子五品官尋兼御史大夫
天下行軍大元帥是歲大徵兵衆閱武驪山兵一百萬號三百萬
並奉公節度是日三令之後上將親鼓公慮有大變因略行禮上
大怒引坐纛下紫微令張說犯鱗而諫上乃曰元振有保護之功
宜捨軍法流新州未至屬開元元年冊尊號赦曰元振往立大功
保護於朕頃因閱武頗失軍容責情放逐將收後效可饒州司馬
未至卒於道時年五十八有集二十二卷文章有逸氣爲世所重
公少負氣縱橫遺意磊落作尉巴蜀不修名檢及登朝受任屢使
遐方霜明烈心玉立貞節言行忠正居取儉約飭體雜於皇王致
君期於堯舜公務之暇手不釋卷雖子弟家人未嘗見其喜怒前
後上事切諫得失十數道俱焚其藁草不以語人故朝廷莫知也
睿宗嘗曰元振正直齊於宋璟政理逾於姚崇其英謀宏亮過之

矣舊於宣陽里居二十餘年不至諸院馬廄每朝廻對二親言笑歸寍儼如也不問家事與狄仁傑朱敬則魏元忠李嶠韋安石趙彥昭韋嗣立薛稷張說等爲忘言之友事父母以孝聞父愛授濟州刺史後以爲相奏請解職授銀青光祿大夫濟州刺史致仕公歿後二親猶在自我唐受命宰臣有二親者惟公而已

故正議大夫行尚書吏部侍郎上柱國賜紫金魚袋贈禮部尚書韓公行狀　李翺

曾祖泰皇任曹州司馬祖濬素皇任桂州長史父仲卿皇任祕書郎贈尚書左僕射公諱愈字退之昌黎人生三歲父歿養於兄會舍及長讀書能記他生之所習年二十五上進士第汴州亂詔以舊相東都留守董晉爲平章事宣武軍節度使以平汴州晉辟公以行遂入汴州得試祕書省校書郎爲觀察推官晉卒公從晉喪以出四日而汴州亂凡從事之居者皆殺死武寍軍節度使張建封奏爲節度推官得試太常寺協律郎選授四門博士遷監察御

史爲幸臣所惡出守連州陽山令政有惠於下及公去百姓多以公之姓以命其子改江陵府法曹參軍入爲權知國子博士宰相有愛公文者將以文學職處公有爭先者構公語以非之公恐及難遂求分司東都權知三年改眞博士入省爲分司都官員外郎改河南縣令日以職分辨於留守及尹故軍士莫敢犯禁入爲職方員外郎華州刺史奏華陰縣令柳澗有罪遂將貶之公上疏請發御史辨曲直方可處以罪則下不受屈既柳澗有犯公由是復爲國子博士改比部郎中史館修撰轉考功郎中修撰如故數月以考功知制誥上將平蔡州先命御史中丞裴公度使諸軍以視兵及還奏兵可用賊勢可以滅頗與宰相意忤既數月盜殺宰相又害中丞不克中丞微傷馬逸以免遂爲宰相以主東兵自安祿山起范陽陷兩京河南北七鎭節度使身死則立其子作軍士表以請朝廷因而與之及貞元季年雖順地節將死多卽軍中取行軍副使將校以授之節習以成故矣朝廷之賢恬然於所安以苟

不用兵爲費議多與裴丞相異唯公以爲盜殺宰相而遂息兵其爲懦甚大兵不可以息以天下力取三州尚何不可與裴丞相議合故兵遂用而宰相有不便之者月滿遷中書舍人賜緋魚袋後竟以他事改太子右庶子元和十三年秋以兵老久屯賊未滅上命裴丞相爲淮西節度使以招討之丞相請公以行於是以公因本官兼御史中丞賜三品服及魚爲行軍司馬從丞相居於郾城公知蔡州精卒悉聚界上以拒官軍守城者率老弱且不過千人亟白丞相請以兵三千人間道以入必擒吳元濟丞相未及行而李愬自唐州文城壘提其卒以夜入蔡州果得元濟蔡州既平布衣柏耆以計謁公公與語奇之遂白丞相曰淮西滅王承宗膽破可不勞用衆宜使辯士奉相公書明禍福以招之彼必服丞相然之公令柏耆口占爲丞相書明禍福使柏耆袖之以至鎮州承宗果大恐上表請割德棣二州以獻丞相歸京師公遷刑部侍郎歲餘佛骨自鳳翔至傳京師諸寺時百姓有燒指與頂以祈福者公奏疏言自伏羲至周文武時皆未有佛而年多至百歲有過之者自佛法入中國帝王事之壽不能長梁武帝事之最謹而國大亂請燒棄佛骨疏入貶潮州刺史移袁州刺史百姓以男女爲人隸者公皆計傭以償其直而出歸之入遷國子祭酒有直講能說禮而陋於容學官多豪族子擯之不得其食公命吏曰召直講來與祭酒共食學官由此不敢賤直講奏儒生爲學官日使會講生徒多奔走聽聞皆相喜曰韓公來爲祭酒國子監不寂寞矣改兵部侍郎鎮州亂殺其帥田弘正征之不克遂以王庭湊爲節度使詔公往宣撫既行衆皆危之元稹奏曰韓愈可惜穆宗亦悔有詔令至境觀事勢無必於入公曰安有受君命而滯留自顧遂疾趨入庭湊嚴兵拔刃弦弓矢以逆及館甲士羅於庭公與庭湊監軍使三人就位既坐庭湊言曰所以紛紛者乃此士卒所爲本非庭湊心公大聲曰天子以爲尚書有將帥材故賜之以節實不知公共健兒語未嘗及大錯甲士前奮言曰先太史爲國打朱滔滔遂敗走

血衣皆在此軍何負朝廷乃以爲賊乎公告曰兒郎等且勿語聽愈言愈將爲兒郎巳不記先太史之功與忠矣若猶記得乃大好且爲逆與順利與病不能遠引古事但以天寶來禍福爲兒郎等明之安祿山史思明李希烈梁崇義朱滔朱泚吳元濟李師道復有若子若孫在乎亦有居官者乎衆皆曰無又曰令公以魏博六州歸朝廷爲節度使後至中書令父子皆授旌節子與孫雖在童幼者亦爲好官窮富極貴寵榮耀天下劉悟李祐皆居大鎭王承元年始十七亦仗節此皆三軍耳所聞也衆乃曰田弘正刻此軍故軍不安公曰然汝三軍亦害田令公身又殘其家矣復何道衆乃讙曰侍郎語是庭湊恐衆心動遽麾衆散出因泣謂公曰侍郎來欲令庭湊何所爲公曰神策六軍之將如牛元翼比者不少但朝廷顧大體不可以棄之耳而尚書久圍之何也庭湊曰卽出之公曰若眞耳則無事矣因與之宴而歸而元翼果出乃還於上前盡奏與庭湊言及三軍語上大悅曰卿直向伊如此道由是有意欲大用之王武俊贈太師呼太史者燕趙人語也轉吏部侍郎凡令史皆不鎖聽出入或問公公曰人所以畏鬼者以其不能見也鬼如可見則人不畏矣選人不得見令史故令史勢重聽其出入則勢輕改京兆尹兼御史大夫特詔不就御史臺謁後不得引爲例六軍將士皆不敢犯私相告曰是尙欲燒佛骨者安可忤故賊盜止遇旱米價不敢上李紳爲御史中丞械囚送府使以尹杖杖之公曰安有此使歸其囚是時紳方幸宰相欲去之故以臺與府不協爲請出紳爲江西觀察使以公爲兵部侍郎紳旣復留公入謝上曰卿與李紳爭何事公因自辯數日復爲吏部侍郎長慶四年得病滿百日假旣罷以十二月二日卒於靖安里第公氣厚性通論議多大體與人交始終不易凡嫁內外及交友之女無主者十人幼養於嫂鄭氏及嫂歿爲之服朞以報之深於文章每以爲自揚雄之後作者不出其所爲文未嘗效前人之言而固與之並自貞元末以至於茲後進之士其有志於古文者莫不視公以爲法

有集四十卷小集十卷及病遂請告以罷每與交友言既終以處妻子之語且曰某伯兄德行高曉方藥食必視本草年止於四十二某疏愚食不擇禁忌位爲侍郎年出伯兄十五歲矣如又不足於何而足且獲終於牖下幸不至失大節以下見先人可謂榮矣享年五十七贈禮部尚書謹具任官事跡如前請牒考功下太常定謚幷牒史館謹狀

皇祖實録

公諱楚金諸議詔第二子明經出身初授衛州參軍又授貝州司法參軍夫人清河崔氏父球兖鄆懷三州刺史公伯兄惟慎太原府壽陽縣丞性曠達樂酒不理家產每日貰錢一千出遊求飲酒者必盡所貰然後歸其飲酒徒皆草隸書張旭其人也公事壽陽如父在每事必請於壽陽壽陽曰汝年亦長矣若都不能自治立然每事必擾我何爲公曰不請非不能爲此也不滿乎人心其請如初及在貝州刺史嚴正晦禁官吏於其界市易所無公至官之

日養生之具皆自衛州車以來又以二千萬錢入曰吾食貝州水而已及正晦黜官百姓舊不樂其政將俟其出也羣聚號呼斃之以瓦石揚言無所畏忌録事參軍不敢禁懼謂公曰若之何公曰録事必不能當請假歸攝録事參軍斯可矣乃如之公告正晦曰君以威强不便於百姓百姓俟使君行加害於使君使君更期出某爲使君任其患於是集州縣小吏得百餘人皆持兵無兵者持扑埋長木於道中令曰使君出百姓敢有出觀者杖殺大木下及正晦出百姓莫敢動或曰刺史出可作矣如李司法何貝州震恐後刺史至委政於公姦吏皆務以情告不敢隱貝州於是大理壽陽之夫人鄭氏賢知於族嘗謂壽陽曰某觀叔賢於君某之質不敢與叔母較高下君之家和子孫必有興者壽陽之第二子爲戶部侍郎初戶部氏兄弟五人妹一人其喪母也皆幼公每日必抱置膝上或泣而傷諸姪之安於叔父也如未失母時有子三人曰某祗承父業不敢弗及夫人清河崔氏能以柔順接於親族其來

歸也皆自以爲己親焉翺生不及祖不得備聞其縣行其貝州事業親受之於先子其餘皆聞之於戶部叔父伏以皇祖之爲子弟時若不能自任也及涖官行事則剛勇不回也如此其行事皆可以傳於後世爲子孫法蓋聞先祖有善而不知不明也知而不傳不仁也翺欲傳懼文章不足以稱頌道德光耀來世是以頓首願假辭於執事者亦惟不棄其愚而爲之傳焉

請盧尚書撰故處士姑臧李某誌文狀

李商隱

曾祖諱某皇美原令祖諱某皇安陽縣尉父諱某皇郊社令處士諱某字某郊社令第二子也年十八能通五經始就鄉里賦會郊社違恙出大學還滎山就養二十餘歲乃丁家禍廬於壙側日月有制俛就變除遂誓終身不從祿仕時重表兄博陵崔公戎表姪新野庾公敬休平陽之郡等以中外欽風處在師友誘從時選皆堅拒之益通五經咸著別疏遺略章句總會指歸韜光不耀既成莫出麤以訓諸子弟不令傳於族姻故時人莫得而知也注撰之暇聯爲賦論歌詩合數百首莫不鼓吹經實根本化源味醇道正詞古義奧自弱冠至於夢奠未嘗一爲今體詩小學通石鼓篆與鐘蔡八分正楷散隸咸造其妙然與人書疏往復未嘗下筆悉皆口占惟曾爲郊社君造福於塋南書佛經一通勒於貞石後摹寫稍盛且非本意遂以鹿車一乘載至於香谷佛寺之中藏諸古篆衆經之內其晦跡隱德率多此類長慶中來遊淮海塗出徐州時有人謂徐帥王侍中曰李某眞處士也遂以賓禮延於逆旅願枉上介與爲是邦處士謂徐帥曰從公非難但事人匪易長揖不拜拂衣而歸其詞蓋譏其崔相國事也復歸滎上講道如初享年四十有三以大和三年三月二十六日棄代以其年十月卜葬於滎陽壇山原望於先域夫人滎陽鄭氏合焉二男瑊項時甚幼孺猶子思晦實尸其禮至會昌三年以風水爲患松楸不立二子號叫願更蓍龜商隱與仲弟羲叟再從弟宣岳等親授經典教爲文章

生徒之中叨稱達者引進之德胡寧忘諸願襄改卜之禮敢遺撰美之義閣下獨執文律首冠明時頃於篇翰之閒惠以交遊之契竊書遺事敢請刊銘冀推族類之恩用永隱淪之德伏紙酸哽十不存一謹狀

文粹補遺卷第十六

生徒之中叨稱達者引進之德何日忘之請願襲段下之禮敢遺撰

美之義閣下獨執文律首冠明時貫於篇翰之間專以文遊之契

竊書遺事敢請刊銘冀推族讚之恩用永隱淪之德伏紙酸咽十

不存一　謹狀

文粹補遺卷第十六

文粹補遺卷弟十七

吳江　郭麐　纂

記一　總十三首

故刑部尚書中山李公詩法記 蘇頲
端州石室記 李邕
菊圃記 元結
石門山瀑布記 竇公衡
劍門山記 于邵
東山記 韋夏卿
黃鶴樓記 閻伯瑾
翰林院故事記 韋執誼
許氏吳興溪亭記 權德輿
洗心亭記 劉禹錫
枝江縣南亭記 皇甫湜
江州錄事參軍廳壁記 符載
長沙東池記

故刑部尚書中山李公詩法記　蘇頲

唐開元四年太歲景辰二月戊申朔二十六日癸酉銀青光祿大夫刑部尚書昭文館學士中山公薨於京師宣陽里私第享年六十先五日扈駕自新豐湯井還其日奉制持節復賚于湯所以降雨故也還歷二日自說齋祭滌濯之事願言賦詩至其夕賓友皆散因作扈從詩十韻遲明命以示頲詩成而寢奄忽生災此即夫子獲麟之卒章也既殯公子壻右金吾倉曹博陵崔望之自其家取以見遺嗚呼翰墨未燥形神已離舉朝驚嗟之聲不崇朝而達于遠矣公文特稱于世每謂知音則身同氣相求捷觀此詞何異於理正心而爲咏豈交臂而相失曾未數刻恨不逾車擊節而如舊也撫膺一慟不覺涕之漣洏痛矣中山長無見日雖子期不聽存者可以絕弦而相如有作歿者竟傳遺草故銘如右記其事云

端州石室記　李邕

日者託宿祕篆奇傲神府撰奇討異注靈通感冥授海堧遐矚坤極斂金闕疏玉堂河漢未睽其源今昔罕聆其語曷若宛此山郭介在江濆薄入寰騰物外妙有特起靈表頫洞綺田砥平錦嶂壁立肇衍洞穴延袤中堂赩怪形以萬殊砑地勢以千變伏虎奔象浮梁抗柱激濤海而洪波沸渭欲杳篠而羣峰嵯峨飛動逼人屹彛驚視窈微徹而三分地道風蕭蕭而一變天時贄乳鍊於玉顏九昇嗜慾雙遺形若希羽翼志若摩雲天秦漢之閒莫知代祀羲皇之上自成遐邈當是時也慕名者執雌而退術物者守心而安求道者息慮而凝懷書者陋古而默有若邦伯畢公守恭廣孝聞家至忠觀國政門尤跡談者不容於口義心厚行遊者每藉於名故能吏修其方人樂其業流冗歸止介特乂安於是命友僚縱琴酌一歌一詠以遨以遊莫不解榻於斯張樂於斯騰駕五龍遺去

駟馬豈惟避暑窟室締賞林巒擊石如鐘酌泉如醴固亦轉丹竈授紫芝迹參寥之遠心推習隱之幽致者也

菊圃記　元結

春陵俗不種菊前時自遠致之植於前庭牆下及再來也菊已無矣徘徊舊圃嗟歎久之誰不知菊也方華可賞在藥品是良藥爲蔬菜是佳蔬縱須地趨走猶宜徙植修養而忍蹂踐至盡不愛惜乎於戲賢人君子自植其身不可不慎擇所處一旦遭人不重愛如此菊也悲傷柰何於是更爲之圃重畦植之其地近譙息之堂吏人不此奔走近登望之亭旌旄不此行列縱參歌伎菊非可惡之草使有酒徒菊爲助興之物爲之作記以託後人幷錄藥經列於記後

石門山瀑布記　竇公衡

括蒼東南治惡麗二溪八十里有石門焉層巘中斷崔嵬雙峙排霄軼宇菡萏元氣自谷口澒洞珍木奇蔓森梢蔽虧嵌崖側淵崩

駮欽駭厥有瀑水迴挂青蒼浩然風雷殷颯林壑噫靈造融結神功卓異是宜磅礴萬古偕並三才豈疏鑿道建之力預矣觀其驚噴垂透濆瀰淋漓明滅芬敷空濛靄昧飄飆衍颺緜羃縈紆蕭索淒清淅瀝璀璨因物變化與時推移故春夏爲霧雨秋冬爲霰雪陰爲鬼神陽爲蜺虹曙爲煙雲夕爲河漢屑爲粉粲迸爲珠璣曳爲布練霏爲綃縠斯亦爲殊翫也而遊者涉獵談者鹵莽至於傳聞曾無髣髴遂使丹青可象不列於一顧之間勝賞非遥見遺於六合之外惜夫余偶踐絶境得窮佳致俯聆仰眺嗟歎徘徊乃命僮攜組準度自上潭直瀉至天壁三百五十尺自天壁飛灑至下潭四百五十尺凡八百尺度登覽者不昧於高深遲想者每憑於文字因題諸巖側永寤匽中云

劍門山記　于邵

易曰艮爲山爲徑路爲門闕梁山之有劍閣也厥象備焉首以峨嵋足以荆巫前褒斜而後靈關横亘乎數千里之間孕川含陸以

作全蜀趨蜀之路必由是山連峰戛天上絶飛鳥極於此也峭壁中斷兩崖相欽如門斯闢如劍斯植辨徑術之可從於彼也於戲上古聖人之宅於九囿也必因山川之固爲設堡障以安之恐其自絶於一方也雖有高深之阻必啟行路通之是故天下書同文教同體梯航内向而禍亂不作觀乎劍閣見聖人之德焉偉夫抉連山開積阻剖盤石擘崇巒呀然洞裂斗絶千仞遠迹奇伏神靈怪異謂之天造之資則有攻鑿之形矣謂之人力之用則無掎拔之勢矣豈五丁爲役歟泯泯茫茫不可得而詳也若乃迫隘之所容邅迴而後通翁巴漢之萬轍總岷嶓之重險一夫而禦之則三軍無所施其勇覆質而防之則逸足不能踰其阻故漢高因焉以定楚項之難元宗幸焉以銷陽九之變蜀王無道惠文代之公孫僭號光武滅之由是而言則劍門之險所以助順不以興亂所以輔中州不以限荒服苟戎夷議侵軼狂愚懷割據逆天反道必覆敗隨之皇帝諒闇之初歲在己未漁陽公作鎮之一紀也蠻夷之

衆寡君長之情僞道途之險易攻守之利病皆暗得於胷中不差於豪髮矣而犬戎承我遏密犯我亭障以其控弦十萬與羣蠻之師出沈黎出火井出樊道出仇池邊兵禦之不勝歘然有北閉劍關而拒我後援西入蜀都而全其地勢時西州伯朝覲京師寇出不虞羣情大駭朝廷固已知漁陽公舉無遺策仍發禁衛貔貅之旅俾受律於公公元合廟算分軍守隘且度其能來而不能用可取而不可追命諸營堅壁勿得戰收軍入閣道示之以無人賊見諸壁不可攻而劍門不設備果疑有伏莫敢前窺公曰彼悉銳而來謂所行無御今頓軍數日其氣已衰且入我既深多而不整可以擊之矣乃夜出精卒擣其前營羣兇震擾駭若隄潰棄其矛甲者十有四五顛於坑谷者不可勝記公命緩逐勿過其歸既而又破之于龍安不二旬緣邊千里之寇悉燒營遁去危邦載合天府載寍州閭以出溺相存父子以厥初相歡自蕃戎爲梗未有若玆歲之甚惟中權制勝未有若是役之大天子聞而嘉之焉郎下詔書勞之略曰徽公戮力王室蜀其左衽矣德音褒倚也如此於戲仁者由劍門以之爲福不仁者由劍門以之生禍獨漁陽公之克戎於是也配乾功之可久與坤德而同順革戎心于永代揚天聲于無極昭昭焉難乎其與京矣昔班孟堅勒銘燕然紀竇耿勳業夫燕然無瓌異之迹徒以書其片石見載前錄人到於今稱之而劍門幷絡垂芒坤維蘊靈漁陽得其形便輝灼藩翰語乎山則有畫象之奧語乎人則有葢代之績而頌聲不著於燕然英名不加於竇耿抑當時之所取而吾黨之所病昔予剖符列郡祇服元侯耳目所得稱傳罕備雖言之不逮其可已乎是用纂述爲劍門記

東山記　韋夏卿

自江之南號爲水鄉日月掩藹陂湖蕩漾游有魚鼈翔有鳧鴈涉之或風波之懼望之多煙雲之思自朱方達於震澤三百里而遥惟毘陵地高林麓相望邱陵埠阜隱嶙蟬聯雖有崖嶨之形終無峻極之狀封域之內罕名山焉有唐艮二千石獨孤公之莅是邦

也人安俗阜三稔於茲文爲宗師政號清靜有仁智山水之樂有風流遐曠之懷如獨鶴唳天孤雲出岫想見其人也公嘗言謝公東山亦非名岳苟林巒興遠邱壑意深則一拳之多數仞爲廣矣由是於近郊傳舍之東得崇邱浚壑之地密林修竹森蔚其間白雲丹霞照曜其上使登臨者能賞遊覽者忘歸我是以東山定號始於中峰之頂建茅茨焉出雲木之高標視湖山如屛障城市非遠幽聞鳥聲軒車每來靜見水色復有南池西館宛如方丈瀛洲秋發芰荷春生蘋藻晨光烱曜夕月澄虛信可以曠高士之襟懷發詩人之詠歌也自公之往清風寂寥野獸恒遊山禽咸萃不轉之石斯固勿伐之木惟喬而繼守數公實皆朝彥雖下車必理或周月而還志在葺修時則未暇貞元八年余出守是邦迨今四載政成訟簡民用小康永懷前賢屢陟茲阜芟薈蘙而松桂出夷坎窅而溪谷通不改池臺惟雜風月東山之賞實中興哉於是加置四亭合爲五所瞰野望山者位正背林面水者勢高邐崒區陳賓寮在位琴碁閒作簫管時聞從我之遊者咸遇其勝也嘗以水通舟檝陸阻車徒端徑術於通津翦繆蕪於迥野凡五六里抵于亭之南植山松以作門樹官柳以界道蟠旋麾於原上騁騏驥於途中又有塞門隴坂之意也懿乎創物垂名俾傳來者登山臨水每想古人[illegible]何謝石門林泉峴首風景而已矣爲文斵石于彼山阿時貞元十一年歲在乙亥九月九日記

黃鶴樓記

閻伯瑾

州城西南隅有黃鶴樓者圖經云費禕登仙嘗駕黃鶴返憩於此遂以名樓事列神仙之傳迹存述異之志觀其聳構巍峩高標巃嵸上倚河漢下臨江流重簷翼館四闥霞敞坐窺井邑俯拍雲煙亦荆吳形勝之最也何必賴鄉九柱東陽八詠迺可賞觀時物會集靈仙者哉刺史兼侍御史淮西租庸使鄂岳沔等州都團練使河南穆公名寧下車而亂繩皆理發號而庶政其凝或逶迤退公或登車遠遊必於是極長川之浩浩見眾山之壘壘王室載懷思

仲宣之能賦偃蹤可揖嘉叔偉之芳塵迺喟然曰黃鶴來時歌城郭之並是浮雲一去惜人世之俱非有命抽豪紀茲貞石時皇唐永泰元年歲次大荒月孟夏日庚

翰林院故事記　　韋執誼

翰林院者在銀臺門內麟德殿西重廊之後蓋天下以藝能伎術見召者之所處也學士院者開元二十六年之所置在翰林之南別戶東向考視前代即無舊名貞觀中祕書監虞世南等十八人或秦府故寮或當時才彥皆以宏文館學士會於禁中內參謀猷延引講習出侍輿輦入陪宴私十數年間多至公輔當時號爲十八學士其後永徽中黃門侍郎顧琮復有麗正之稱開元初中書令張說等又有集賢之目皆用討論未有典司元宗以四隩大同萬樞委積詔敕文誥悉由中書或慮當劇而不周務速而時滯宜有偏掌列於宮中承導邇言以通密命由是始選朝官有詞藝學識者入居翰林供奉別旨於是中書舍人呂向諫議大夫尹愔首

充焉雖有密近之殊然亦未定名制詔書敕猶或分在集賢時中書舍人張九齡中書侍郎徐安貞等迭居其職皆被恩遇至二十六年始以翰林供奉改稱學士由是遂建學士俾專內命太常少卿張垍起居舍人劉光謙等首居之而集賢所掌於是罷息自後給事中張淑中書舍人張漸竇華等相繼而入焉其外有韓翃閻伯璵孟匡朝陳兼蔣鎮李白等在舊翰林中但假其名而無所職至德以後軍國務殷其入直者並以文詞其掌誥敕自此北翰林院始無學士之名其後又置東翰林院於金鑾殿之西隨上所在而遷取其便穩大抵召入者一二人或三四人或五六人出於所命蓋無定數亦有鴻生碩學經術優長訪對質疑主之所禮者頗列其中崇儒也初自德宗建置以來秩序未立延觀之際各趨本列暨貞元元年九月始有別敕令明預班列與諸司官知制誥同列故事中書以黃白二麻爲綸命重輕之辨近者所出獨得用黃麻其白麻皆在此院自非國之重事拜授將相德音赦宥則不得

由於斯稽夫發揮大猷藻繪上命隻簡片削可以動乎人神風行四方萬里始覩非制誥之謂歟蓋人君深拱端默於穆清之中茫茫九區視聽不及雖堯德舜智湯明禹哲不能庭策以朝告不能家閱以戶臻必欲忘典謨掩訓誓陰諭於天下密符於胸襟洪荒以還所蔑聞也故議定於內而事修於外言發於上而旨達於人徵乎斯百度闕矣况此院之置尤爲近切左接寢殿右瞻彤樓晨趨瑣闥夕宿嚴衛密之至也驂驔得御廐之駿出入有內司之導豐餚潔膳取給大官衾裯服御資於中庫恩之厚也備侍顧問辨駁是非典持綠牘受遣羣務凡一得失動爲臧否職之重也若非謹恪而有立秉貞而通理俾乂樞要簡於帝心言不及溫樹之名愼不遺轅馬之數處是職者不亦難乎至於强學修詞刀筆應用或久洽通儒之望或早升文墨之科雖必有之乃餘事也自立院已往五紀於茲連飛繼鳴數逾三十而屋壁之間寂無其文遺草簡略於柎編求名時得於邦老溫故之義於斯闕如羣公以執誼入院之時最爲後進紀敍前輩便於列詞收遺補亡敢有多讓其先後歲月訪而未詳獨以官秩名氏之次述於故事庶後至者編繼有倫貞元元年龍集景寅冬十月記

許氏吳興溪亭記　　權德輿

溪亭者何在吳興東部主人許氏所由作也亭製約而雅溪流安以清是二者相爲用而主人盡有之其智可知也夸目䔢心者或大其閈閎文其節梲儉士恥之絶世離俗者或梯構巖巘紉結蘿辟世教鄙之曷若此亭與人寰不相遠而勝境自至青蒼在目潺湲激砌晴煙陰嵐明晦萬狀鷗飛魚游不驚不鳴時時歸雲來冒茅棟許氏方岸鶡冠支邛竹目送溪鳥口吟招隱則神機自王利欲自薄百骸六藏之內累無自而入焉有田二頃傳於亭下鎡基之功出於僮指每露蟬一聲秋稼成實倚杖眺遠不覺日暮歲入之羨則以給樽中方其引滿陶然心與境冥則是非得喪相與奔北之不暇又何可滑於胷中㩊夫舉世徇物以失性而不能自適

且繆戾於動靜之理君之動也代耕筮仕必於山水之鄉故尉義興贊武康皆有嘉聞而無粃政其靜也則偃曝於斯亭循分食力不矯不躁庸詎知今日善閉不爲異時之大來耶予知之深故因斯亭以廣其詞云

洗心亭記　劉禹錫

天下聞寺數十輩而吉祥尤彰彰蹲名山俯大江荆吳雲水交錯如繡始余以不到爲恨今方弭所恨而充所望焉既周覽讃歎於竹石間最奇處得新亭形焉如巧人畫鼇背上物即之四顧遠邇細大雜然陳乎前引人目去求瞬不得徵其經始曰僧義然嘯侶爲工即山求材槃高孕虛萬景坌來詞人處之思出常格禪子處之遇境而寂憂人處之百慮氷息鳥思猨情繞梁歴棟月來松間彫鏤軒墀石列筍簴藤蟠蛟螭修竹萬竿夏含涼颸斯亭之實錄云爾然上人舉如意挹我曰既志之盍名之以行乎遠夫余始以是亭圜視無不適始適乎目而方寸爲清故名洗心長慶四年九月二十三日劉某記

枝江縣南亭記　皇甫湜

京兆韋庇爲殿中侍御史河南府司錄以直裁聽羣細人增搆之責掾南康移治枝江百爲得宜一月遂清乃新南亭以適曠懷俯湖水枕大驛路地形高低四望空平青莎白沙控柞緣崖立芰圜葭誕漫朱華接翠裁綠繁葩春燭決湖穿竹渠鳴郁郁潛魚歴歴產鏡嬉碧淨鳥白赤洗翅窺喫纈霞轂煙旦夕新鮮冷哄喧嘑怨抑情緜令君騁望逍遙湖上令君宴喜弦歌未已其民日至忻游成羣使纓歎戀停車止征實爲官業而費家貲不妨適我而能惠衆嗚呼是乃仁術也豈直目觀而已乎人知韋君若是也多惜以尺刀效小割異日賦政千里總戎疆場吾知其辦終也亦若是而已矣乃爲作記刻於茲石以圖永久

江州錄事參軍廳壁記　符載

錄事參軍之於郡縣紀綱也車轄也綱弛則目疏轄抗則載輸政

之成敗亦繇是也自漢魏以還歷江左郡有督郵主簿後魏北齊後周隋文州有錄事參軍煬帝時罷州置郡有東西曹掾主簿國朝省掾主簿復爲錄事參軍其於勾稽失糾偲謬省鈔目守符印一州之能否六曹之榮悴必繫乎其人也其人强其務舉其人困其務削循名考實豈容易哉況潯陽古郡也地方千里江涵九派緡錢粟帛動盈萬數加以四方士庶旦夕還至鶩車乘舟疊轂聯檣威猛則騰口以飛訕阿懦則腹非而生誚重輕之得尤難其人隴西李尹少昌切玉剸鐘之利也恪勤强毅當官而行其於公家也不掩善以蔽才不隱過而貸非不苛細以作煩不濶略而破方剛柔疏緻雅得其度繇是官府有程準案牘無留閒遊我宇下清風凜然是時郡守李公以鉅鹿超異之政來領此郡內用六條外理百姓使人人門戶興行孝睦井賦均一然後從容郡閤時與羽衣縫掖講黃老言其餘枝葉節目委於有司而不領故李君得以息心奉法上事牧守下督寮吏暢於中發於外人無閒言也夫士無貴賤尊有道也位無大小觀有政也苟素餐碌碌俾躬處厚祿雖多亦奚以爲是宜書錄事之美於壁閒聳善而儆不肖蓋春秋之微旨矣先是此庭此宇荒涼藝黷端士不履今前後有修竹左右有廊廡穆然清邃皆自我爲聊記述之序遂以李君爲首亦所以重續而新廳也

長沙東池記

諸侯之封茅受土苟天子心膂之寄者有旌旗車服之盛有生殺賞罰之重宜有以鼓鐘池榭而張大之況長沙大郡也江山亘千里道途控百越有主人焉有大賓焉渾渾四來轚轢摩軒主人苟不以享讌觀遊而禮之者卽詩人以爲褊故我有東池之製焉壬午歲皇帝命御史中丞楊公領湖南七郡之地公方厚簡重氣岸恢大以文章禮樂藻績德義踐右史歷文昌登少常伯朝廷之休聲茂績沛然也以素望膺盛拜故拜詔之日公卿賀登車之日道路喜下車之日童老慶朞月而苛細去周歲而兵食足三年而風

俗清卽觀遊池沼之作出於餘力亦先是佛廟之旁有泉沚焉陰流沮洳不能措杯於其上加以隙田數百畝磽瘠滲漏不產嘉穀莞菼蒲稗猥積組織公以重價償僧而求之僧滿志也於是相地形鑿水路掘坌壤築高岸繇東其勢渟深注淺公以美利僦民而營之民悅隨也居是累月池成大水既瀦長江（字闕）二平澄無邊天空境明一來窺臨百骸以清江湖思遠蓍人襟靈右有青蓮梵宇巖巖萬構朱甍寶刹錯落晴晝左有灌木叢林陰藹芊眠不究幽深四時蒼然柯葉吟風聲若哀箜自北徂南貸遞悠悠鶴鶩鳧鷺差池淹流太陽晨曦金波瞑浮氣象詭怪恍惚瀛洲湘西有山黛色沈沈或時無風影墮池心中間乃背城闉之局束追風物之遐曠盛嘯賓客泛舟而遊駐彩旌動蘭橈逍遙遠去興隨趣往縈涯繞嶼不記沿泝聽言始歡閒以壺觴絲桐緣雲以淒切羅綺從風而翠粲有美一人蛾眉嬋娟綺袖自障清歌采蓮聲發波中宛宛神仙當是時憂者泰褊者曠勞者逸惛者爽豁七情之底滯蕩百靈之疴恙豈比夫高陽習家之醉同年而語哉何長沙之卑溼貽縉紳君子之慮也夫賢達之蘊才智也不得其時卽騰陵宇宙鼓鑄萬物且茲地也朝爲蹏涔夕爲蓬壺茫茫平地波瀾在我識者覩公之爲事也量細以度大詳近以徵遠佇知異日必能成天下之務利天下之物斡運元化爕調正氣致君雍熙與咎夔爲徒者於此而見之矣載頃年廬岳嘗辱公顏閱之顧賀榮拜寵自舊山以來拂拭孱弱屢陪遊泛覩盛美而不書者君子或以爲闕也乃抉謏才頌賢能以耀乎將來者也

文粹補遺卷第十七

文粹補遺卷弟十八

吳江　郭麐　纂

記二總十一首

新開石巖記鄭叔齊
新修漕河石斗門記穆員
柳州山水近治可遊者記柳宗元
新開隱山記吳武陵
望雪樓記鄧兗
懷崧樓記李德裕
夔州都督府記李貽孫
寺塔記段成式
龍多山記孫樵
休休亭記司空圖
小池記楊夔

新開石巖記　鄭叔齊

城之西北維有山曰獨秀宋顏延之嘗守茲郡賦詩云未若獨秀者峨峨郛邑間嘉名之得蓋肇於此不藉不倚不騫不崩臨百雉而特立扶重霄而直上仙挹石髓結而爲膏神鑿嵌竇呀而爲室鬵滓可遠幽偏自新勝概岑寂人無知者大厤中御史中丞隴西公保障南服三年政成乃考宣尼廟於山下設東西庠以居胄子備俎豆儀以親釋菜雖峻止可尋而叢薄未翦公乃目常從以上每指荒榛而授事爲力無幾得茲穴焉閤而外廉隘以旁達立則艮其背行則躓其胼於是申謀左右朋進畚鍤壞之可跳者布以隃徑石之可轉者積而就階晷未移表則致虛生白矣豈非天賦其質智詳其用乎何曏往寒襲前人之略也譬猶士君子韜迹獨居懿文游藝不遇知己發明則蓬蒿向晦畢命淪恨鹽車無所伸其駿和氏不得成其寶矣篆刻非寵庶貽後賢建中元年八月廿八日記

新修漕河石斗門記　穆員

分洛爲漕斗門在都城東南中橋之右舊制喉不深口不束其流隨之水斯溢旱斯涸東有斜堰俾其來往終歲不修輒壞修則水積高而迤南北北傷則洛亘邙趾南傷則魚遊井鄽不修則漕復於陸且其地與岸皆寘薪焉不再閱不一易每歲繕槧斜堰洎南北隄橋之費相與盈萬其斗門之功不計蓋其弊者也安平公治三川之暇顧念於此之疾未去且曰水之性導無不順壅無不害善爲水者唯其所趨使若自然其要在於不與之競而已是用浚斗門之下以昷其入庳斜堰之上以歸其餘庶乎饒不爲增傷不爲減盈萬之費歲收於公而通海之波率土之運東西交騖合朝宗之義焉中橋之旁有古堰廢石沈於泥沙公乃發而轉之以代寘薪之制省於自他山而致者蓋百之一猶懼剛之不勝柔岸化於水乃授規矩俾之追琢如斧斯鋭以分其衡如月斯仰以折其勢積石山關中流湯湯南鄰鑿龍永代無愧上濟行邁是爲通橋歲三月興作四月畢事人不見始而覩其終埒其功用不足於常歲之數而不朽之利與皇都洛水垂之無窮焉嗚呼物之至柔者水不得其理甚者懷山襄陵其次決隄防隤城邑夫惟不爭之力然後勝之天下之理一理也御天下之至强者其唯不爭乎於水也見公之政於政也見公之德異日觀易簡久大之業此非其一隅哉公以爲成公之志者實肆其勤命以名氏刻於岸石仍俾末吏謹而書之貞元四年四月丁亥日記

柳州山水近治可游者記　柳宗元

古之州治在潯水南山石閒今徙在水北直平四十里南北東西皆水匯北有雙山夾道嶄然曰背石山有支川東流入於潯水因是北而東盡大壁下其壁曰龍壁其下多秀石可硯南絶水有山無麓廣百尋高五丈下上若一曰甑山山之南皆大山多奇又南且西曰駕鶴山壯聳環立古州治負焉有泉在坎下恆盈而不流南有山正方而崇類屏者曰屏山其西曰姥山皆獨立不倚北流

潯水瀨下又西曰仙奕之山山之西可上其上有穴穴有屏有室有宇其宇下有流石成形如肺肝如茄房或積於下如人如禽如器物甚衆東西九十尺南北少半東登入小穴常有四尺則廓然甚大無竅正黑燭之高僅見其宇皆流石怪狀由屏南室中入小穴倍常而上始黑已而大明為上室由上室而上有穴北出之乃臨六野飛鳥皆視其背其始登者得石枰於上黑肌而赤脉十有八道可奕故以云其山多檉多櫧多篔簹之竹多橐吾其鳥多秭歸石魚之山全石無大草木山小而高其形如立魚猶多秭歸西有穴類仙奕入其穴東出其西北靈泉在東趾下有麓環之泉大類轂雷鳴西奔二十尺有洄在石澗因伏無所見多綠青之魚及石鯽多儵雷山兩厓皆東西雷水出焉蓄厓中曰雷塘能出雲氣作雷雨變見有光禱用俎魚豆彘修形糈稌酒陰虞則應在立魚南其閒多美山無名而深峨山在野中無麓峨水出焉東流入於潯水

新開隱山記　吳武陵

入則維化出則盜物物盜而後志適乃有西垌之賞始一日命騎西出出門里餘得小山山下得伏流顧曰石秀水清葱葱乎其韶怪物耶乃釋騎躡履北上四十步得石門左右劒立矍然若神物持之自石門西行二十步得北峒坦平如室室內清縹若繪積乳旁溜凝如壯士上負橫石奮怒若活乘高西上有石牕凌牕下望千山如指自石室東迴三步得石巖巖下有水泓然疑虬螭之所宅水色墨渌其濬三丈載舟千石舟上坐數十人羅絲竹歌舞飄然若乘仙巖之南壁有石磴可列樂工十六人其東若吠澮石流去不知所止北壁半穴如懸門檄外容小舟出門有潭袤三十步潭有芰荷潭北十步得溪溪橫五里徑二百步可以走方舟可以汎畫鷁渺然有江海趣魚龍瀸濟鷗鷺如養溪潭之閒有地丈餘其色正赤歷石門東南越小嶺石林危嶠夾聳左右自嶺下十步得東巖自巖口直下二十步有水闊三尺許淺沙若畫細草如織

南望有結乳如薰籠其白擁雪自巖西南上陟飛梯四十級有碧石盆二乳竇滴下可以酌飲又梯九級得白石盆盆色如玉盆間有水無源香甘自然可以飲數十人不竭還自石盆東北上又陟飛梯十二級得石堂足坐三十人乳穗騈垂擊之鏗然金玉聲堂間有石方如棊局卽界之以奕儵然不知柯之爛矣自堂北出四步直西二筵南入小峽過峽得內峒東有石室妙如刻畫頂上方井弱翠輕漾便如藻繡自峒南下仰矚東崖有凝乳如樓如閣如人形如獸狀闇然不知造物者之所變化也自樓閣斗下七步次石渠渠深七十尺渠上爲梁曲折繚繞三百步遠日月所不能燭矣左右列炬而後敢進自渠直南抵絕壁斗下爲飛梯飛梯九盤而後及水水北涯有石閣峭甚資以欄檻適可宴息水通魚船東出朝陽西隅黝黑方谷如鑿以石下投波聲響應山寒氣薄人往往畏恐自石閣還上絕壁西去十步又得小峒俯行三十步左右壁有鍾乳或垂或滴其極有石室正如禪庵多白蝙蝠出小峒北

上二十步又得列石色猶西峒東西壁下有石數十枚其面砥平間有凹鐏琴薦厥狀甚怪游人列坐肅若冰霰其東有便房桁櫨栱梲枝撐環合猶國工之椎琢也峒北七步臨西石門石門西去三十九步得西峒峒深九十尺北崖有道可容一軌崖南有水水容若鏡纖鱗微甲悉可數識東過小石門門東頫行三十步詰屈幽邃道絕窮崖崖之右寬明爽闓渾成水閣崖下閣勝九人閣下水闊三十尺伏流崖南亦達朝陽自西峒口南去一矢得南峒峒西壁可識數十人其東有水輕風徐來微波蕩漾琴高遇之當不返矣北上山頂盤曲五百步石狀如牛如馬如熊如羆劒者鼓者笙竽者壎篪者不可名狀石路四周而松蘿萃於西北公曰茲山之始與天地並而無能知者揭于人寰淪去翳薈又將與天地終豈不以其內妍而外樸耶君子所以進夫心達也吾又捨去是竟不得知於人矣乃伐棘導泉目山曰隱山泉曰蒙泉溪曰蒙溪潭曰金龜峒曰北牖曰朝陽曰南華曰夕陽曰雲戶曰白蝙蝠嘉蓮

生曰嘉蓮白雀來曰白雀石渠寒深若蟠蛟蜃特曰蛟渠或取其方或因其端幾焯乎一圖牒也於是節稍度材育功爲亭於山頂不采不艧倏然而成凴軒四望目極千里高禽鷙獸蚑翔蟻走恍然令人心欲狂又作亭於北厢之北夾溪潭之閒軒然鵬飛矯若虹據左右翼爲廚爲廊爲歌臺爲舞榭環植竹樹負脫囂滓邦人士女咸取宴適或景晴氣和蕭然獨往聽詞於其下嗟乎我俗旣同我風旣調茲亭茲山又與人物共之則不知古之甘棠其類是耶其差是耶他日會新亭之下辱命紀事奉筆遽題於北榮曰成紀公字濬之不名重也內則爲伊周外則爲方召疏山發隱也決泉啟蒙也作亭子來也三者其異乎四賢之志乎不異也故書寶曆元年八月三日記

望雪樓記　　鄧衮

上纘位年京兆公繇亞判牧彭搜鯁治蠹化者耘而革之不易節而政成旣而府署亭臺之傲壞者咸理新之明年秋作望雪樓訖功俾進士鄧衮銘之圉蜀之鄙截如巨砥厥郡維彭北西天屛危碧峭青戛霄磨冥鯨跳虬奔限蠻隔番上排雪峰延疊萬重鶴贇瑤駢月積綃鮮振古不泐四節一色皎皎披飄寒錮陰膠光涵二水冷射千里往哲所嘉名之玉壘公來未期畢完瘵凋乃於崇墉作爲麗譙長材羨工不伐不徭趾故規新不僭不驕經之浹辰暈飛迢迢三伏赫曦九野如燒斯焉一登神滌煩銷他日徵黃羊碑郡棠下客貢銘永播德芳先是王僕射潛蕭桂州祐繼守斯郡二公陶奇撰幽不乏心匠於西湖臺榭花竹列植布置罔不宛妙維雪山彭之殊觀獨莫經意豈非天待我公作賞跡乎昔西漢進儒術臣多貞方魏晉扇虛元吏采風流孰若公精六籍練眾務蘊張趙之幹敏兼王謝之清雅辨辭盈庭奮豪電飛具牘百幅歷眸冰釋前可以折穆之角近可以挫戴冑之銳則不止有逸暇覽眺益雄節大旆師長列侯方鈞平衡肅和神人迫期矣衮不佞鑱公奇績覬識士和望雪不取於澄心瑩目將以思潔白登樓不取於

櫛清冰曠在據上覘下察人之利病亦敷政之嘉術也大和元年九月記

懷崧樓記　李德裕

懷崧思解組也元和庚子歲予獲在內庭同僚九人丞弼者五數十年間零落將盡今所存者惟三川守李公而已已殁者西川杜公武昌元公中書韋公鎮海路公吏部沈公左丞庾公舍人李公洎大和癸丑歲復接舊老同升台階或幾歎止興已協白雞之夢或未聞鵩鳥遽有黃犬之悲向之榮華可以悽愴況予憂傷所侵疲薾多病常驚北叟之福豈忘東山之歸此地舊隱曲軒傍施埤堄竹樹陰合簷檻晝昏喧雀所依涼颸罕至余盡去危堞敞爲虛樓剪榛木而始見前山除密篠而近對嘉樹聽事前有大辛夷樹方爲草木所蔽延清輝於月觀留愛景於寒榮晨憩宵遊皆有殊致周視原野永懷崧峰肇此佳名且符夙尚盡庾公不淺之意寫仲宣極望之心貽於後賢斯乃無愧丙辰歲丙辰月銀青光祿大夫守滁州刺史李德裕記

夔州都督府記　李貽孫

峽中之郡夔爲大當春秋爲楚之國在秦曰魚復在漢稱涪陵在蜀號巴東皆郡也梁爲信州逮我武德復夔之號州始都督黔巫上下之地十九城是後或總七城或爲雲安郡或統峽中五郡尋復爲夔州都督之號或加或去今稱夔州都督府州初在瀼西之平土宇文氏建德中王述徙白帝城今衙是也東西斗上二百七十步得白帝廟白帝公孫述自名也後人因其廟時宮焉艧宇飾偶煥如神功怪樹峰笋疏羅後前鏬山險濤望者驚眙又有越公堂在廟南而少西隋越公素所爲也奇構隆敞內無撐柱覓視中脊邈不可度五逾甲子無土木之隙靜而思之以見其人之瓌傑也直南城一里得巨石爲灩澦地載之險此其淵堅獨峰兀頂萬仞崒拔高濤坳洑嶽躍坑轉獵龍護堆沸泳瀄浪窮年緄綆不究其次瞿塘暗導勢列根屬水魅施怪陰來潛往城之左五里得鹽泉十四居民煮而利焉又西而稍南三四里得八陣圖在沙州之

壖此諸葛所以示人於行兵者也分其列陣隱在石壘春而潦大則没秋而波減則露造化之力不能推移所以見作者之能瞿塘驛西有蜀先主宮瀼西有諸葛武侯廟皆古顯勝城東北約三百步有孔子廟赤甲山之半廟本源乾曜廨常爲郡參軍者圖經焉其後爲宰相今其地又爲孔子廟傳者稱爲盛事矣東水行一百七里得縣曰巫山神女之廟楚王之祠高唐陽臺之觀朝雲暮雨之府形勢在焉西水行二百里得縣曰雲安商賈之種魚鹽之利蜀都之奇貨南國之金錫而雜聚焉其人豪其俗信鬼神其稅易征即知其民不偷長吏得其道者涖之猶反掌云會昌五年十一月十三日建

寺塔記　段成式

武宗癸亥三年夏予與張君希復善繼同官祕書鄭君符夢復連職仙署會暇日遊大興善寺因問兩京新記及遊目記多所遺略乃約一旬尋兩街寺以街東興善爲首二記所不具則别錄之遊

及慈恩初知官將併寺僧衆草草乃泛問一二上人及記塔下畫跡遊於此遂絕後三年予職于京洛及刺安成至大中七年歸京在外六甲子所留書籍揃壞居半於故簡中覩與二亡友遊寺瀝血淚交當時造適樂事邈不可追復方刊整纔足續穿蠹然十亡五六矣次成兩卷傳諸釋子

龍多山記　孫樵

梓潼南鄙越五百里其中有山崛起中天即山之趾得逕蜿蜒舉武三十北出其巔氣象鮮妍孕成陰煙矻石巉巉别爲東巖槎牙重複爭先角逐若絕若裂若缺若穴突者虎怒企者猿踞横者木仆挺者碑植又有似乎飛簷連軒欒櫨交攢欹撐兀柱懸棟危礎殊狀詭類愕不得視下有畝平砥若戶庭攄乳側脈膏停泓石俯對絕壑杪臨蘭薄仙臺標異叢石負起屹與山别猨鳥蹟絕腹實而空路由其中斷齶相望攀緣上下閟然而出曜見白日始時永嘉飛眞蓋羅元跡斯存石刻傳聞丹成而僊駕鶴騰天一去遼廓

千載寂寞澄泉傳靈別壑鏡明風閒景清寂寥無聲嘉木美竹罔巒交植風來怒黑雷動崖谷峊獸山禽捷翔呀驚曉吟暝號聽之悽悽迴環下矚萬類在目因山帶川青縈碧璘莽蒼際雲杳杳不分月上於東日薄於泉魄朗輪昏出入目前其或宿霧朝雲糊空縛山漠漠漫漫莫知其端陽燿始浴徹天昏紅輪高而赤洪流散射濃透薄釋錦裂綺折千狀萬態倏然收霽樵起辛而遊泊甲而休登降信宿聞見習熟始曰山乎曾未始有傳乎無使今世釣名者污此巖扃乎且欲聞于潁陽之徒乎

休休亭記

司空圖

休休也美也既休而且美在焉司空氏王官谷休休亭本濯纓也濯纓爲陝軍所焚愚竄避逾紀天復癸亥歲蒲稔人安既歸葺於壞垣之中構不盈丈然遽更其名者非以爲奇蓋量其材一宜休也揣其分二宜休也且耄而聵三宜休也而又少而惰長而率老而迂是三者皆非救時之用又宜休也尙慮多難不能自信既而

晝寢遇二僧其名皆上方刻石者也其一曰闡顏謂吾曰吾常爲汝之師也汝昔矯於道銳而不固爲利欲之所拘幸悟而悔將復從我於是谿耳且汝雖退亦嘗爲匪人之所嫉宜以耐辱自警庶保其終始與靖節醉吟第其品級於千載之下復何求哉因爲耐辱居士歌題於亭之東北楹自開成丁巳歲七月距今以是歲是月作是歌去樂天作傳之年六十七矣休休乎且又殁而可以自任者不增愧負於國家矣復何求哉天復癸亥秋七月二十七日耐辱居士司空圖記

小池記

楊夔

宏農子始卜居於前溪得地數畝構草堂竹齋植修篁竹齋之前有地周三十步因命僮執鍤穴爲池焉洹前溪餘派以漲之流或時涸則汲井以滿環池樹菊及諸菜果可以左右俎机者暇則散襟曳筇修吟自怡或從風微瀾或因雨暗溢則江湖之思滿目矣宏農子性潔不喜淆雜故一卉一木爽靜在眼前池之上未嘗許

片葉寸梗頃刻浮泛以是耕僮頗厭其役客有知者誚其勤懇畦步之地何所裨哉廣不衺丈深不逾雉竭其水不足以澤生物窮其深不足以安黿鼉無蒲藻以潛其魚無波瀾以方其舟孜孜矻矻虛耗僮力言未訖宏農子舉頭而答曰爾以此小而無用乎以其潔深而魚鱉不宅乎以其狹而舟艤非便乎吾豈不欲深及於淵以滋液畦圃耶豈不欲周植其淅以繁育魚鰕耶豈不欲廣導其流以乘風沿泝耶吾恐利於生植其見乎疏決無窮矣聚夫鱗甲則動夫竭澤之漁矣湊其舟艤則起夫涉濟之爭矣矧夫植其物則有蕡蕠以盜其澤者叢其藻則有虺蜮以附其伏者利其濟則有重載以掇其溺者嘻水之利也眾矣其害也亦深矣故吾所以獨潔此沼亦以鏡其心也將欲撓之而愈明揚之而不波決之而不流俾吾性終始對此而不渝豈效夫瀦其水以豢鱗蓄介爲瀺灂之備亦曰池而已矣

文粹補遺卷第十八

文粹補遺卷弟十九

吳江　郭麐　纂

書一　總十三首

答毛傑書　盧藏用
在桂州與修史學士吳兢書　宋之問
答李清河書　李嶠
與營州都督弟書　張說
與郭仲翔書　吳保安
與吳保安書　郭仲翔
答嚴給事書　張九齡
與崔中書圓書　蕭穎士
山中與裴迪秀才書　王維
與裴諫議虬書　于邵
與黜陟使柳諫議書　權德輿
與張祕監書
答權載之書　張薦

答毛傑書

盧藏用

毛子足下勤身訪道不壽氛瘴裏糧鬼門放蕩雲海有足多矣一昨不遺猥辱書札期我遐意詢於道眞使人慚愧也僕知之矣士之生代則有冥志深蔽滅□窅窒鍊九還以咽氣味三秀以詠言因將養蒙全理不以能鳴天性則其上也義感當途說動時主懷全德以自達裂山河以取貴又其次也至於誠信不申忠孝背闕獨禦魑魅永投豺虎無面目以可數椎心膺以問大斯最下也僕在壯年常褻其上先貞後黷卒罹憂患負家爲孽置身於此何顏復講道德哉雖然少好立言亟聞長者之說老而彌篤猶憐薄暮之晷加我數年庶無大過覽莊生鯤鵬之喻則乾坤龍馬之旨可好矣培風運海則六九之源無差矣脩之正氣則洗心藏密有由矣開卷獨得恬然會眞不知寰宇之寥廓不知生之與謝斯亦曖

文粹補遺卷第十九

書一　凡十三首

吳江　郭麐　纂

答毛傑書　盧藏用

在相州與修史學士吳兢書　朱敬則

答李[illegible]書

與[illegible]書

與[illegible]書

答嚴給事書　張九齡

與[illegible]中書[illegible]書

山中與裴迪秀才書　王維

與[illegible]書

與[illegible]書

與張[illegible]監書

答權載之書

答毛傑書　盧藏用

[illegible]

昧所守何必爲是倘吾人起予指掌而說今之隱几不亦樂乎道在稚碑(字闕)一無相阻曷爲區區過勞按劒也頃風眩成疾下淚復厲力此還答無所銓次淹延(字闕)一朔庶不我責慮瀨用頓首

在桂州與修史學士吳兢書　宋之問

拙自謀衛降黜炎荒杳尋魑魅之途遠在雕題之國颶風搖木饑鼬宵鳴毒瘴橫天悲鳶晝落心憑神理實冀生還關號鬼門常憂死別嗟未瞑目豈在微身先君業粹中和才光文武志道游藝名動京師出谷入朝事多宏益雖崇班去己而陰德被人清議所尊何滅驃騎恐耆舊咸謝竹帛𡱁遺使盛烈湮沈下情感痛自昔逸羣之器曠俗之才譽雖冠於人倫祿不躋於卿士南史之筆漏美不書東岱之魂與名俱滅故史遷述許由云不遇青雲之士焉足道哉惟君侯禮樂山高文華海闊古一千歲聞聖人之書今五百年知作者之運山甫拾遺於中路時謂得賢蔡邕揮翰於詞林誰其不許往送家狀蒙敢至公之恩希果寬言深蓄自私之感下官

久辭榮擢夙慎禍胎內無負於明祇外冀申於知己豈謂一人相毀眾口爭喧遂以虛聲乃加眞罪賴皇明昭宥腰領賜全空荷再生無階上答恃子以松竹之操期子以金石之堅幸無雷同懸納謗議是危不易是所望焉遠識古人之懷敢申窮鳥之請如季布之諾乃重於黃金延陵之許竟懸於寶劒生負食花之恩死効結草之誠刺血爲書萬不抒一往年恩貸許惠爲看起居注實錄江融別錄使不錯漏國史及高明所撰唐史春秋等六處並乞逸遺事跡不翳聲塵代業有光寶在吾子遠佇來札以當招魂秋冬凝寒惟動履休勝青簡時至願想窮愁白雲遙來希訪生死珍重珍重

答李清河書　李嶠

君白辭閒累月益深勤系秋後尚熱惟兄動靜云云君粗爾推免昨自歷亭路還至臨清展一慟於崔氏舉目酸咽良不可任變故幾何氣序遄革舊館荒毀殘蟬悲鳴人情生於有情之地古人所

以登峴山而淚下聽鄰笛而凄涼誠有以也亡友崔生才高位下盛年夭閼同志遽絕弦之傷有識深埋玉之恨此而可忍孰不可忍其藻綴鮮華姿彩秀衆故已久處大府早諳水鏡可略言也所未盡者此君幼無怙恃終鮮兄弟有田一廛桑竹靡樹孀姊返室諸甥數門移愛敬之慕以奉之假友弟之歡以臨之貧病爲感慨之資羇棲無學植之伴終能抗跡泥滓高步京華交結盡一時之俊文章滿談者之口亦爲難矣加以重襟期敦賑施良辰美景故或自遠而至一俎一觴繼以縞紵亦無絕於時所以薄俸不資於目前孤高遠遺於身後古人稱廉吏貞不可爲者豈徒言哉兄仁及遺簪禮縟追賻千古之下凜然而高凡百賓寮孰不激節然其懸磬之室所費多端舊業假師文質他族淹泊已久又頻濟施贖壯之餘颯爾復盡今授衣附及窀穸有期合門嗷嗷靡所控告亡友卒日惠愛若人吏叱追感道路屑泣而朋書是懼贈襚莫申夫所以惡貪饕而懲貨賄者豈不愍怙作威柔我公道耶今則異於是積東里之仁旣將萬化同盡企西江之潤方爲萬口所懸適足以重仁恩而敦教義也惟兄實深圖之儻一言辱及羣願獲申豈惟崔氏獨受其賜亦二三朋友所佩服焉幸甚明日西上不果拜辭伏惟珍重

與營州都督弟書　　張說

骨月世疏居止地闊宗族名迹不能備知讀厤次府君狀已具歷官未書性習夫五常之性出於五行稟氣所鍾必有偏厚則仁義禮智信爲品不同六藝九流習科各異若以稷卨之事贊於巢由孫吳之術銘於游夏必將神人於悒木以爲允今之撰錄蓋欲推美實行崇識素心先德怡神於知我後生想望於見意說爲他人稱述尚不敢苟況於族昭行哉往來信多直疏早報冬末寒泣野有戎歌山無夏草步步日遠能無鄉國之心乎兆州新立向者未有下車殊俗意緒如何說患恆服湯虛多健少因別奉去說呈

與郭仲翔書　　吳保安

與郭仲翔書　吳保安

幸共鄉里藉甚風猷雖曠不展拜而心常慕仰吾子國相猶子幕府碩才果以良能而受委寄李將軍秉文兼武受命專征親綰大兵將平小寇以將軍英勇兼足下才能師之克殄功在旦夕保安幼而嗜學長而專經才乏兼人官從一尉僻在劒外地邇蠻陬鄉國數千關河阻隔況此官已滿後任難期以保安之不才厄選曹之格限更思微祿豈有望焉將歸老邱園轉死溝壑側聞吾子急人之憂不遺鄉曲之情忽垂特達之眷使保安得執鞭弭以奉周旋錄及細微薄霑功效承茲凱入得預末班是吾子邱山之恩即保安銘鏤之日非敢望也願爲圖之唯照其款誠而寬其造次專策駑蹇以望招攜

與吳保安書　郭仲翔

永固無恙頃辱書未報值大軍已發深入賊庭果逢撓敗李公戰沒吾爲囚俘假息偷生天涯地角顧身世已矣念鄉國窅然才謝鍾儀居然受縶身非箕子且見爲奴海畔牧羊有類於蘇武宮中射鴈空期於李陵吾自陷蠻夷備嘗艱苦肌膚毀剔血淚滿地生人至艱吾身盡受以中華世族爲絕域窮囚日居月諸暑退寒襲思老親於舊國望松檟於先塋忽忽發狂腷臆流慟不知溺之無從行路見吾猶爲傷慼吾與永固雖未披款而鄉里先達風味相親想覩光儀不離夢寐昨蒙枉問承閒便言李公素知足下才名則請爲管記大軍去遠足下來遲乃足下自後於戎行非僕遺於鄉曲也足下門傳餘慶天祚積善果事期不入而身名並全向若早事麾下同參幕府則絕域之人與僕何異吾今在危力屈計窮而蠻俗沒留許親族往贖以吾國相之姪不同衆人仍苦相邀求絹千匹此信通問仍索百縑願足下早附白書報吾伯父宜以時到得贖吾還使亡魂復歸死骨更肉唯望足下耳今日之事請不辭勞若吾伯父已去廟堂難可諮啓卽願足下親脫石父解夷吾之驂往贖華元類宋人之事濟物之道古人猶難以足下道義素高名節特著故有斯請而不生疑若足下不見哀矜猥同流俗則

僕生爲俘囚之竪死爲蠻夷之鬼耳更何望哉已矣吳君無落吾事

答嚴給事書

張九齡

自出江郡慰誨累及情義已積昆弟無喻人生相知可謂厚矣僕方請歸養從此告辭會面無期所懷當盡故復累而言之耳凡爲前相所厚者豈必惡人耶僕爰自書生燕公待以族子頗以文章見許不因勢利而合但推獎之日不量不才引致掖垣有負時議然則初有超拔豈由本心嗷嗷之口曾不是察既不稱其服又加之讒間負乘致寇幾於不免當此時也若無所容以孤特之身處背憎之地自怪既往何幸而全追想寒心怳怳發悸嚴子足下不意而然既而遠出猶有餘釁巧言潛搆期僕傾危故使者之來怒於心而色於事賴於自慎幸且無咎不者吹毛洗垢求其痕疵勢窮力屈將無控告未始怯事也有爲而然以故春中有書薄言求庇足下猶不諒此意以爲汲汲於聲名而乃約以莊生之言博以

東山之法曉導精至誠故人之情向之所防有異來旨彼二教者忘情滅識無有纏愛故福至不喜禍至不憂今僕養親豈復割離恩愛直措心於此地哉正欲惟疾之憂全身遠害故雖在小小敢不兢兢至如自放身心雖復情昧幸受教於君子亦聞道於古人豈不能少有所適方復屑屑於毁譽之際也管仲嘗三戰三北而鮑子不以爲無勇以其有親足下寧不我知而有此誨且往者不自量力因緣小技蹶躡干進荏苒歷年固以爲運屬盛明朝多君子義能容物而忘其孤陋則不知弊帚之貴末路多艱今專典一州忝幸過已甚而平生萬事爲寒暑所移雖忝簪纓若墜泉壑者耳誠恥令名之不副寵章也昔賈誼才偕管晏言則霸王名重漢廷官止梁傅班固猶云未爲不遇況僕擬非其倫遇已過彼顧多慙色豈敢怨而更求歟足下知心當明義有所在耳尊者慈愛諸下懷寧本鄉不欲隨官重有離別春秋高矣晨昏久違僕豈復規規然徼無妄之福在悔恡之動而迴無所恃單子獨立萬一蹉跌

或遠庭闈朝心不開暮髮盡白行已五十獨不知命是以冒死抗疏乞歸侍藥一則潔膳以展下情二則辭滿而無貽憂周易曰飛鳥遺之音不宜上宜下益取此義亦自卜者審也顧恨上負明主邱山之恩未有涓塵之答下愧知己契奬之力卒無知言之效又平生不飾小節苟取虛名使吹聲之徒退有後議竟未獲盡展所有之用以塞罔極之譏碌碌而歸不能不耿耿耳古人有從所好者僕亦有心庶承顏之餘放性自適軒冕之事亦云儻來林澤之閒聊足散慮縱絕後望亦了一生何必崎嶇不平齟齬求入然後爲得也去矣嚴子勉事聖君儻存平仲久要之言無惜詩人金玉之問幸甚張九齡白

與崔中書圓書　　蕭穎士

違奉累月伏增馳結首冬漸寒伏惟相公尊體動止康裕敬想表妹珍儀外甥休慰時事孔棘出於慮外京邑傾淪主上遷播卒土臣子銜涕痛心相公應期降德康濟危難保翊聖躬乂安社稷勳

踰夔昔道貫前修海隅蒼生孰不幸甚況在舊故榮庇特深某自中州隔越流播漢陰遂至江左淮南節度使召掌書記兼補此官羈窘之辰幸忝俸祿然任翰墨罕參籌議徒懷所見莫獲申述竊惟二京未復祆氛方熾靈武太原雖稱官軍甚盛而兩河南北無月不遭寇禍頃者濮陽東平中都鄆城相繼失守靈昌穎川皆累戰之餘今未解圍上蔡汝南近又奔潰虢王之鎮河南亦有政刑而百城饉乏兵力未振河北自六月不聞克捷井陘路亦云未通河東絳郡復傳先陷淮南山北境內賊壘戶寡人貧徵促弊竭眾心危懼莫有固志則兵食所資獨江南兩道耳楚越之地重山積阻江湖浩漫樂興永嘉南通嶺表北至吳會皆境瀕巨海自古平日常備不虞中原或擾不無盜賊爲患固宜察其要害增以兵力擢文武良材以鎮捍之先奉七月十五日勑盛王當牧淮海累遣迎候尚仍在蜀今副大使李中丞華胄茂德平時良守清靜臨人貪暴斂迹雖古龔黃召杜之化無以先之然與今時經略頗不甚

禰所莅謹守科條愛惜府庫江淮三十餘郡僅徵兵二萬已謂之勞人將卒不相統攝兵士未嘗訓練淮左江東三十餘郡無一艮二千石豈惟不才乃皆中人以下之不逮其間敗衂略難勝述比者吳郡晉陵江東海陵諸界已有草竊屯聚保於洲島剽掠村浦爲害日滋若朝廷不時遣賢王卽就鎮求選博通宏略之士以輔佐之特許不計階次超拔才雄以居將守倘一朝劇寇南侵陵蹈淮泗衝要闕繕完之備甲兵無抗擊之利江海餘孽因而嘯聚則長江之南亦從此而大潰矣復何觀釁虜庭指日淸蕩哉某雖不敏嘗覽舊史見古今成敗之策江山險易之勢多矣忝職幕賓言不見錄長宵歎息不覺飲淚方思虞詡之任朝歌見疑守將古今一也幸他日風塵早辱惠愛今雖卑賤禮數懸絕仰惟無大故則不棄之義或當未賜疏擲耳銜憤萬里遠陳短見亦惟相公留聽無忽尙書房公門下崔公往不自意並承盛德一顧之末然若非相公爲小人貧賤之交不敢輒申狂簡輕冒抵觸書不云乎三后

叶心同底於道亦何必人人別疏哉在相公言之耳親弟某乙久在巡內或垂記識自多故以來信問阻絕酸心痛骨未期一見時維以小人承舊愛之故惠提奬之私非所敢望如或假以公乘使江淮獲一親集死生骨肉不勝幸甚末由拜賀無任下情謹因賀赦使附狀不宣蕭某頓首

山中與裴迪秀才書　王維

近臘月下景氣和暢故山殊可過足下方溫經猥不敢相煩輒便往山中憩感配寺與山僧飯訖而去北涉元灞淸月映郭夜登華子岡輞水淪漣與月上下寒山遠火明滅林外深巷寒犬吠聲如豹村墟夜舂復與疏鐘相閒此時獨坐僮僕靜默多思曩昔攜手賦詩步仄逕臨淸流也當待春中草木蔓發春山可望輕鯈出水白鷗矯翼露溼青皐麥隴朝雊斯之不遠儻能從我遊乎非子天機淸妙者豈能以此不急之務相邀然是中有深趣矣無忽因馱黃蘗人往不一山中人王維白

與裴諫議虯書　　于邵

閣下昨日愚于皋謨起居迴蒙以放鷹度隴二賦及宗儒銘自發東甌至安南諸作見示隨掌明珠忽蒙分惠秦臺重璧不閑旁臨是何衰暮偶此殊觀幸甚幸甚自微言中絕大義復乖歷戰國縱橫之後遭亡秦煨燼之末四始不作斯文無紀漢興總輯馳騖稍復詩騷之體訖建安之間皆可垂訓風流更代紛然殽雜迨有高下不可勝論齊梁陳隋乃至流遁矣國家受命煥乎文明開元天寶於斯爲盛格高體正者君臣之義天人之際畢備於斯矣先覺後進其誰間焉屬三十年來兵戈不息所務者急所貴者異過之則進不過則墜考之文章東不流於海南不集於江萬方行紀安可得哉某性之天假學非專門徒以菲薄少有謬膺清切特用潤色鴻業頗承渥私孤奉明恩兢速官謗謫居之地猶佐大藩承府公麼麻忝下榻清讌風亭月觀美景良辰未嘗不接高興陪嘯咏雖唱高和寡未能宏道雲從風感時賴起予如此之眷者如此之樂者歲不我與星迴四周而不知老之將至累之在已餘生之幸斯亦厚矣閣下心無所負神保其眞冒南氣之炎鑠泛重溟之湍悍清光可鑑素履惟精雲天意長復此與合有足歡也今網羅俊乂渴日爲勞明詔屢下旁求四達未有天生棟梁而不構大厦時遭霸王而不先受器者也在始務修德而已前宵之命情實未盡獨不見跋露不稱睎區區主人有所懃邈信宿而未獲拜賜者實以沈瘵之故旦暮爲劇況南面蒼梧北背瀟湘歲聿云暮於焉還客心折骨驚復何言哉所得四卷繕寫已畢致之篋笥爲藏馳遣皋謨送本不復一一

與黜陟使柳諫議書　　權德輿

某月日試祕書省校書郎權德輿上書閣下德輿材術無聞重以拙訥雖星軺往復皆獲趨拜竟未得顧承餘論少盡下情復蒙以彌世之舊將獻狀上錄感戴循環不知所措或有所見敢布愚衷何者今皇帝馭天下之初將欲拔才俊延幽滯綜覈名實覽觀風

何古今皇帝哉天下之所以治哉以故亡致近幽[illegible]宗義合寶鑒顧屈
彌世之籍[illegible]上餘慮[illegible]不知所措政有所見改亦見以
泄幽雜[illegible]往復行鑑[illegible]得[illegible]餘論心[illegible]下[illegible]復以
東月日人[illegible]書[illegible]校出[illegible]禪德與上書閣下德輿林衢無間運以

與鹽鐵使柳諫議書　權德輿

東漢之末不復一
客心行善復向言故所倡而合諸已畢致之竅命為[illegible]道
以[illegible]務之政故日為[illegible]王[illegible]
[illegible]

雖闡高祖宴未能於道褒從風格將軌起于如此之音如此之所
公應[illegible]業所下楊清讓風亭日誠矣良諭未嘗不地接高與宮藩府
色得故性之天私本明恩就速宦諸諭少自[illegible]清切特用安
可進不其[illegible]之假學非書門徙以[illegible]
則進不其[illegible]
後進於其[illegible]
寶於所為[illegible]
不可[illegible]
復請之後道亡奉[illegible]
情之[illegible]
是則[illegible]
閣下[illegible]
與[illegible]書

俗故分詔近臣省問四方將天之命其旨不細則閣下舉一士用一賢必當窮驗聲實精究終始一旦以愚當薦士之目誠衆多所未喻也凡以故舊之私不能忘情與夫推賢類能其事則異今者澄清省察以得人爲功直道公議天下屬目此時而失則所失多矣德輿伏膺儒行三十未立揣躬責已知不如人俟他時進修與諸生齒方冀當大君子眷念之至中鄙夫報效之分今若以嘗用所迫苟進一官則傭書販舂亦足自給必不敢以區區之身上累名器敢拒黔敖之食徐受山濤之恩下情所守在此而已是以竟未獲拜謝者以必所不敢當也伏惟宴閒之餘俯察愚朴文章鄙略不足以煩省覽用此陳露慚畏伏深不宣德輿再拜

與張祕監書

頃因從容縱言遂及曩歲與外舅相國有往復書猥見徵求出於眷愛休沐發篋追懷愴然因思弱植長自湖海閉關開卷孤特寡徒或有所得則三復喟歎所務峭峻益爲迂野蓋不自量力而欲希蹤古人故書中多有此意今則聊復自哂亦當時志之所在而不能自已也建中初年及弱冠方以環衛掾曹爲今司空漕輓從事抵鍾陵經信部時外舅自都曹郎出爲郡佐話言歡甚淹留累夕約爲伯仲申以久要鄙人以年位不倫慮非宜適且合志營道豈待約結而後固邪外舅曰僕爲監察御史時司空楊公已爲祭酒太常又年長十九歲而許僕以兄事何足下今日見拒之深耶時房州罷浦陽長在座因指之曰請亦敦此義其閒嘉言道論函丈更僕雖農山濠上無以過也迨歸江南俄致尺書慕荀陳之義結潘楊之好緘詞勤勤雅有古風無言不詶感慨相許爾後數年方展嘉禮旋屬外舅以本官參台司操觚修賀輒申直諒亦既被病累章乞身平生所蘊頗同不試嘰夫人之才有能有不能當夫司諫無隱詞旨體國後以區區建安之守逢京師變故密疏行宮陳匡復之略移書强藩檄誠順之義其他議論風彩凜然有大丈夫之節斯不可及已與夫刺促顧慮沈浮自愛者豈同日耶明年

所疾不起前此友壻夭落故有二祭文以寄悲懷七年秋猥辱朝命以博士徵至京師十數年閒晜有外姑與建昌房州之喪表墓申奠直書而已因緣故舊臨紙泫然今亦附於書末庶見其閨門士行之有類也兩書之外又有其時書數紙屬在卷中因復連寫倏忽二紀無非風燭士感見知如何可言頃年祗役江西在路有寄內詩一首音詞悽惻顧非士衡彥先之比頃常馬上偶誦今亦具之往復書幷墓銘奠文等共十餘篇以兄與外舅有江湖遊處之舊又鄙人承眷特深雄詞載筆博物閎覽賢士大夫之淑聲家法固周知之感念陳跡輸於醬瓿非敢以文爲事也不宣德輿再拜正月二十五日

答權載之書　張薦

奉榮問蒙示相國崔公往復書幷諸墓銘奠文及江西路上之作詞致清深華彩巨麗言必合雅情皆中節瓊瑰見辱囊篋增輝又竊文矩不勝幸甚相國於薦中表丈人行也寶應中相國丈被禍

營道寓居陸陽薦家於邗溝耕於謝湖每歲春藝秋穫途由灃浦相國丈時與故刑部劉尚書趙洋州戶部兄弟同客是邑或承餘眷留歡浹日無曠再時者數焉洎相國丈以廷尉評賓於姑胥之幕自柱下史退爲臨川掾薦皆獲見於湖海之閒惠然相念有踰曩歲其後作牧建安屬京師難故猶能抗大節飛密疏犇問官守遠達巴梁薦掌史者嘗記興元元年三月甲子詔書以建州使者舒鄧玢爲嘉王府諮議玢之所奉卽相國丈也奏章於多難之日陳謀於必勝之地由是見器於明主先定於中台及夫徵入果領樞務惜其憂勤爲疾未幾辭免大庇生人之志徒鬱於襟抱以至於甍落縉紳先生所以長歎息者抑有爲焉相國丈與劉齊二公變諧大政也薦蒙過聽之遇以博士再入東觀三相連步同送拜職榮之於心盜止迄今閣老以志學之歲下帷覃思與古人心會於經誥之上獨行乎貞朗之域逮於弱冠德輝彰聞相國丈傾慕之不足願申以姻好詎假媒介直操槧餚閣老感深見託敬諸嘉

命磊落丈夫之事二君子交修之甚休精識妙鑒得賢斯盛旣而夫貴於朝妻尊於室崔門綬帶之慶其有極乎及覽後書援皇極元德之論指匡張孔馬之戒寶當益友之目豈惟佳壻而已又覩建昌房州誌文等昔年亦同遊處嘉聞遺諮過作者而不朽矣至如置奠東武之詞興慟子咸之述繼美彥先之句諷而誦之寶而藏之有以見六義昭宣百行醇備名稱赫赫宜乎哉走素不敏猥列僚舊豈悏見厚投以至言也因懷昔游聊占數以下闕

文粹補遺卷弟十九

文粹補遺卷第十九